#홈스쿨링
#혼자공부하기

똑똑한
하루 독해

Chunjae
Makes
Chunjae

[똑똑한 하루 독해] 예비초 B

기획총괄	박진영
편집개발	이재인, 김민숙, 박지윤
디자인총괄	김희정
표지디자인	윤순미, 안채리
내지디자인	박희춘, 임용준
제작	황성진, 조규영
사진제공	게티이미지뱅크, 셔터스톡, 픽사베이

발행일	2022년 5월 15일 초판 2022년 5월 15일 1쇄
발행인	(주)천재교육
주소	서울시 금천구 가산로9길 54
신고번호	제2001-000018호
고객센터	1577-0902

※ 정답 분실 시에는 천재교육 교재 홈페이지에서 내려받으세요.
※ KC 마크는 이 제품이 공통안전기준에 적합하였음을 의미합니다.
※ 주의
책 모서리에 다칠 수 있으니 주의하시기 바랍니다.
부주의로 인한 사고의 경우 책임지지 않습니다.
8세 미만의 어린이는 부모님의 관리가 필요합니다.

3주

도입 | 3주에는 무엇을 공부할까? 72쪽
1일 | 주장하는 글 골고루 맛있게 냠냠 76쪽
2일 | 노랫말 여우야 여우야 뭐 하니 80쪽
3일 | 설명하는 글 스마트폰 바르게 사용하기 84쪽
4일 | 연극의 대본 토끼의 재판 88쪽
5일 | 광고하는 글 구름 아이스크림 92쪽
평가 | 누구나 100점 테스트 96쪽
특강 | 창의 • 융합 • 코딩 98쪽

마무리 학습

공부한 내용을 정리해요 104쪽
신경향•신유형•서술형 106쪽
기초 종합 정리 문제 1회 110쪽
기초 종합 정리 문제 2회 114쪽

단순하고 성격 급한 상어 샥, 겉으로는 작고 연약해 보이지만 사실은 얌체인 해마 햄, 혼자 한글도 깨우친 똑똑한 문어 뿜, 유쾌·발랄한 인어 별과 함께 독해 공부를 시작해 볼까요?

똑똑한 하루 독해

예비초 B 스케줄표

2일 48~51쪽	3일 52~55쪽	4일 56~59쪽	5일 60~63쪽	특강 64~71쪽
'리' 자로 끝나는 말	규칙을 지켜요	아기 돼지 삼 형제	공연을 보아요	누구나 100점 테스트 + 창의·융합·코딩

3주

1일 72~79쪽
골고루 맛있게 냠냠

114~117쪽
기초 종합 정리 문제 2회

공부한 후 본책 맨 뒤에 있는 스케줄표 붙임딱지를 붙여 주세요.

1일 8~15쪽	2일 16~19쪽	3일 20~23쪽	4일 24~27쪽
나는 누구일까요?	나비야	어린이 체조 방법	방귀 시합

매주 1일에는 이번 주에
무엇을 배울지도 함께 살펴보자.

5일 28~31쪽
할아버지, 생신 축하해요

특강 32~39쪽
누구나 100점 테스트 + 창의·융합·코딩

한 주 끝! 다음 주도 열심히 하자!

2주

1일 40~47쪽	2일 80~83쪽	3일 84~87쪽	4일 88~91쪽	5일 92~95쪽
여름과 겨울을 보내요	여우야 여우야 뭐 하니	스마트폰 바르게 사용하기	토끼의 재판	구름 아이스크림

특강 96~103쪽
누구나 100점 테스트 + 창의·융합·코딩

마무리 학습

104~109쪽	110~113쪽
신경향 · 신유형 · 서술형	기초 종합 정리 문제 1회

예비초 B 공부할 내용 한눈에 보기!

1주

도입 | 1주에는 무엇을 공부할까? 8쪽

1일 | 말놀이 **나는 누구일까요?** 12쪽

2일 | 노랫말 **나비야** 16쪽

3일 | 설명하는 글 **어린이 체조 방법** 20쪽

4일 | 이야기 **방귀 시합** 24쪽

5일 | 카드 **할아버지, 생신 축하해요** 28쪽

평가 | 누구나 100점 테스트 32쪽

특강 | 창의・융합・코딩 34쪽

2주

도입 | 2주에는 무엇을 공부할까? 40쪽

1일 | 설명하는 글 **여름과 겨울을 보내요** 44쪽

2일 | 노랫말 **'리' 자로 끝나는 말** 48쪽

3일 | 주장하는 글 **규칙을 지켜요** 52쪽

4일 | 이야기 **아기 돼지 삼 형제** 56쪽

5일 | 안내하는 글 **공연을 보아요** 60쪽

평가 | 누구나 100점 테스트 64쪽

특강 | 창의・융합・코딩 66쪽

똑똑한 하루 독해를 함께 할 친구들을 소개합니다.

✂ 자르는 선

바다유치원에서 '독해'라는 것을 처음으로 공부하게 된 바다 속 친구들!
초등학교에 들어가서 모든 과목의 공부를 잘하기 위해 먼저 독해 공부를 열심히 하기로 했대요.

What? 독해? 독해!

독해가 뭐예요?

다들 '독해, 독해' 하는데 독해가 뭐예요?

글자를 읽기만 하는 게 아니라
진짜 이해하여 내 지식으로 만드는 것이 독해예요!

그럼 독해는 국어인가요?

독해는 그냥 국어만이 아니에요. 읽고 이해하는 독해가 안되면 수학 문제도 풀 수 없어요. 이처럼 독해는 모든 과목 공부를 잘하기 위한 기초랍니다. 독해를 통해 모든 과목의 지식을 내 것으로 만드는 방법을 배워야 해요.

글 읽고 문제만 계속 풀면 독해 공부가 되나요?

무조건 글 읽고 문제만 푼다고 독해 공부가 잘될 리 없지요. 「똑똑한 하루 독해」로 공부해 보세요. 먼저 놀이 활동과 중심 낱말 따라 쓰기로 생각을 열어요. 그런 다음 노랫말이나 동시, 이야기뿐만 아니라 설명하는 글, 주장하는 글은 물론 생활 속 글까지 다양한 글을 읽으며 실력을 다져요. 이해도 쑥쑥 되고 지루할 틈이 없겠지요?

진짜 똑똑한 독해를 시작해 볼까요?

이 책의 특징과 장점

똑똑한 하루 독해로 똑똑해지자!

뭐 이렇게 독해책이 많아?
모르는구나? 요즘 독해가 대세야!
심심한 독해
따분한 독해
뻔한 독해
하루 독해

독해를 잘해야 국어뿐만 아니라 다른 과목 문제를 풀 때에도 요점을 잘 짚어 이해하고 풀 수 있다고.

독해는 어휘가 기본인데, 이 책은 어휘가 너무 부족해.
심심한 독해

이 책은 너무 글만 가득해서 어렵고 지루해. 벌써 졸려!
따분한 독해

이 책은 몽땅 교과서 글만 있잖아. 난 다양한 글을 읽고 싶은걸.
뻔한 독해

대박! 이것은 혁명!
신개념 독해책이다!

글과 그림이 고루 섞여 있어서 지루하지 않고!

어휘를 정말 충실하게 익힐 수 있어!

교과서 밖 글도 다양하게 있고, 생활 속 독해까지!

우아! 게임도 있어! 난 이것부터 해 볼래!

그런 독해책이 있어? 나도 줘! 나도!

아하하, 저기 많이 있어요! 따라오지 마세요.

우르르

Why? 똑똑한 하루 독해!

왜 똑똑한 하루 독해일까요?

1. **10분이면 하루 독해 끝!** 쉽고 재미있는 독해 공부!
2. **놀이 활동과 중심 낱말 따라 쓰기!** 생각이 활짝! 어휘력 쑥쑥!
3. **'문학 · 비문학 · 실생활' 알짜 지문!** 하루하루 다양하고 즐거운 독해!
4. **똑똑한 주 특강으로 사고력 넓히기!** 창의 · 융합 독해력 팍팍!
5. **마무리 학습으로 실력 다지기!** 모든 과목 공부를 위한 독해 완성!

이 책의 구성과 활용

한 주 동안 매일 공부할 글의 제목과 내용을 만화로 미리 살펴보고,
한 주의 독해 속 중심 낱말을 놀이 활동과 따라 쓰기로 확인해요.

독해 코스

하루의 독해와 관련 있는 놀이 활동으로 생각을 열고, 중심 낱말을 따라 쓰며 독해를 준비해요.

여러 종류와 영역의 글을 읽고 다양한 유형의 문제를 풀며 독해 실력을 쌓아요.

한 주 동안 공부한 내용을 평가해 보며 독해 실력을 확인하고, 독해에 대한 자신감을 키워요.

창의 • 융합 • 코딩 문제를 풀며 배경지식을 넓혀요.

마무리 학습

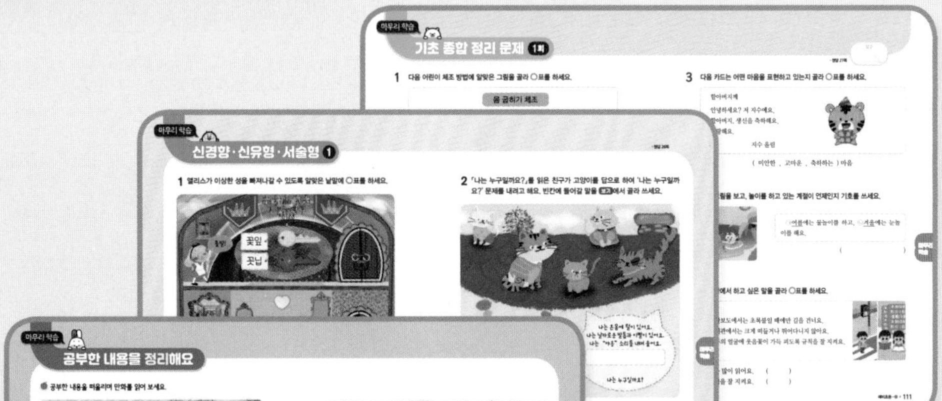

만화, 신경향 • 신유형 • 서술형, 기초 종합 정리 문제를 통해 한 권에서 배운 내용을 마무리하고, 독해 실력을 완성해요.

부록

어휘 카드와 붙임딱지를 활용하여 더욱 재미있고 알차게 공부해요!

친구들과 약속해요!

우리 같이 약속해요!

첫째, 하루하루 빠짐없이 꾸준히 공부하기!

둘째, 하루 독해 문제 끝까지 다 풀기!

셋째, 틀린 문제는 왜 틀렸는지 다시 한번 확인하기!

약속하는 사람 ____________

쉽고 재미있는
『똑똑한 하루 독해』로
독해 공부를
시작해 봐요.

똑 똑 한

하루 독해

DUMI

예비초 B

1주

1주에는 무엇을 공부할까? ①

1일 나는 누구일까요?
2일 나비야
3일 어린이 체조 방법
4일 방귀 시합
5일 할아버지, 생신 축하해요

1주

1주에는 무엇을 공부할까? ②

낱말을 따라 쓰며 낱말에 알맞은 그림 붙임딱지를 붙여 보세요. 

할아버지

노랑나비

체조

방귀

말놀이

나는 누구일까요?

다음 동물의 말을 읽고, 누구일지 붙임딱지를 붙여 보세요. 붙임딱지 1

나는
"꽥꽥" 소리를
내며 울고
헤엄을 잘 쳐.
붙임딱지

선을 타고 내려가서 그림에 알맞은 낱말을 따라 쓰세요.

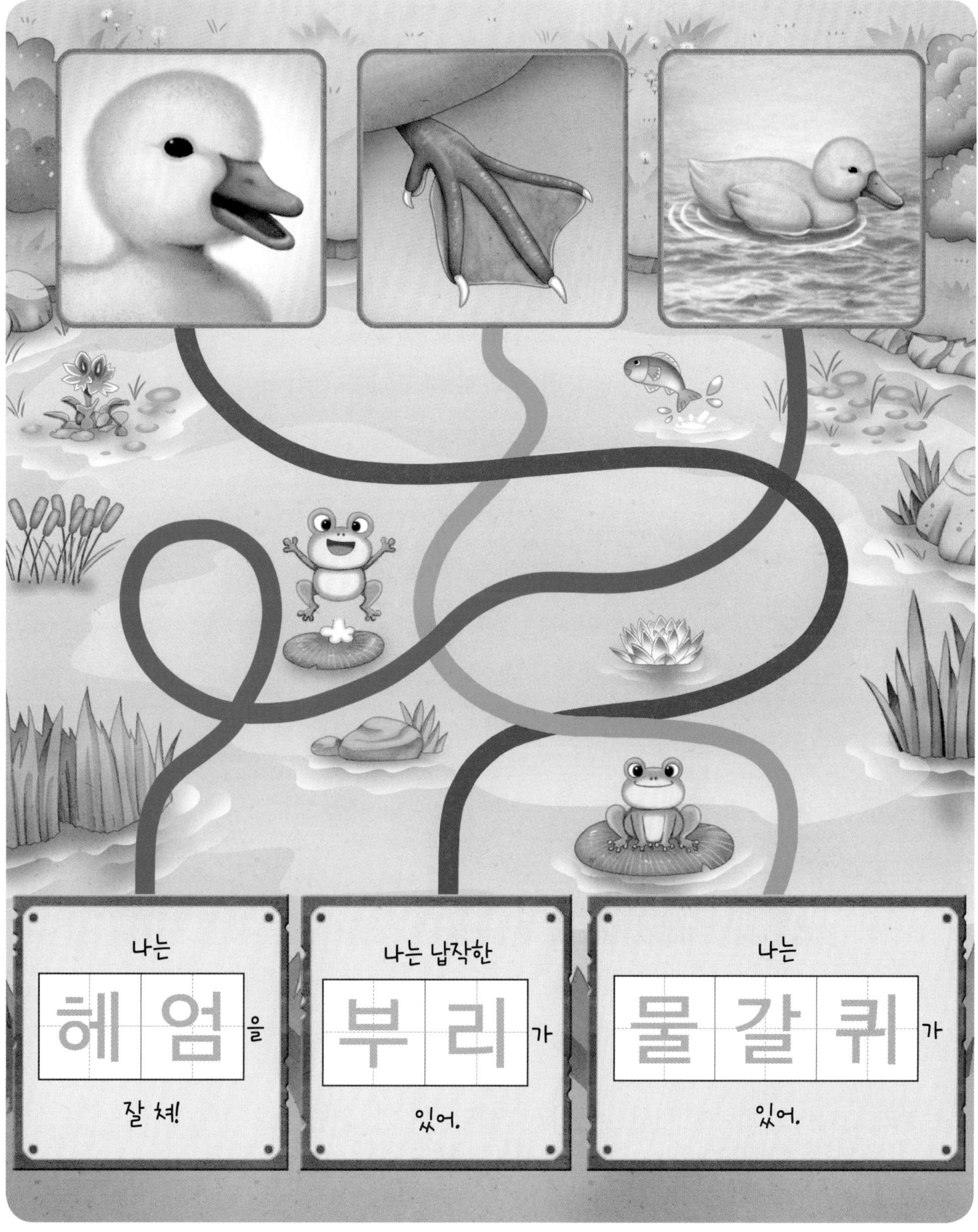
나는 헤엄을 잘 쳐!
나는 납작한 부리가 있어.
나는 물갈퀴가 있어.

나는 누구일까요?

나는 연못에 살아요.
나는 "꽥꽥" 소리를 내며 울어요.
나는 ㉠납작한 부리로 물고기를 잡아먹어요.
나는 ㉡물갈퀴가 있어서 헤엄을 잘 쳐요.

나는 누구일까요?

어휘 풀이

- **부리** 단단하고 뾰족한 새의 주둥이. 예 새의 부리가 길다.
- **물갈퀴** 헤엄을 치는 데 도움이 되는 오리, 개구리 등의 발가락 사이에 있는 엷은 막.

글과 문제 듣기

◆정답 3쪽

1 어휘 **'나'는 어떤 소리를 내며 운다고 하였는지 흉내 내는 말을 따라 쓰세요.**

나는 "꽥 꽥" 소리를 내며 울어요.

2 이해 **'내'가 ㉠과 ㉡으로 하는 일을 알맞게 선으로 이어 보세요.**

(1) 

㉠ 납작한 부리

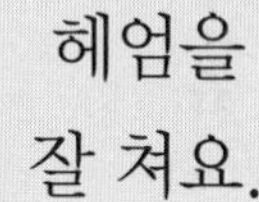

• 헤엄을 잘 쳐요.

(2)  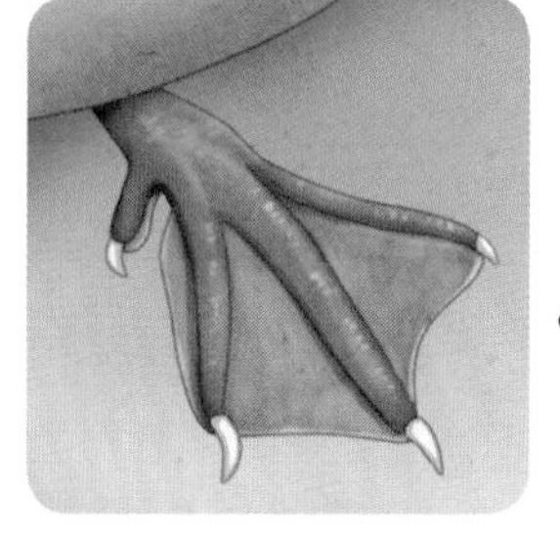

㉡ 물갈퀴

• 물고기를 잡아먹어요.

3 유추 **이 글에서 말한 '나'는 누구인지 알맞은 것에 ○표를 하세요.**

(1) 

닭 (　　　)

(2) 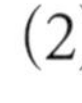 

토끼 (　　　)

(3) 

오리 (　　　)

1주 1일

나비야

다음 나비를 색칠하여 그림을 완성해 보세요.

나를 예쁜 나비로
만들어 줘.

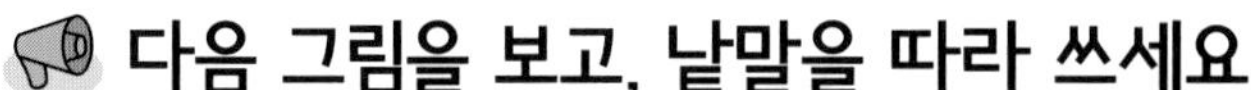

다음 그림을 보고, 낱말을 따라 쓰세요.

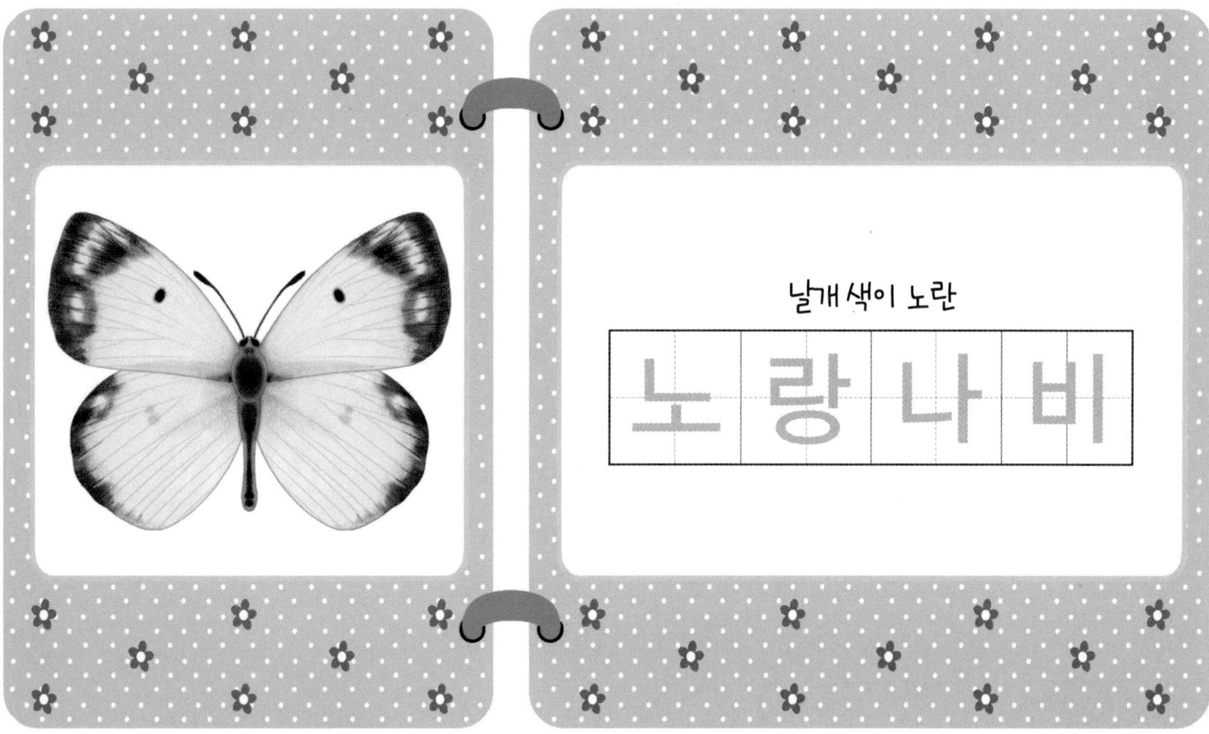

나비야

나비야 나비야 이리 날아오너라
노랑나비 흰나비 춤을 추며 오너라
봄바람에 꽃잎도 방긋방긋 웃으며
참새도 ㉠ 노래하며 춤춘다

1 이해 이 노랫말에서 누구에게 이리 날아오라고 하였는지 보기 에서 알맞은 낱말을 골라 쓰세요.

보기

참새　　나비　　꽃잎

2 이해 노랑나비와 흰나비에게 어떻게 오라고 하였는지 알맞은 것을 골라 ○표를 하세요.

(1) 춤을 추며 오너라. (　　　)

(2) 노래를 부르며 오너라. (　　　)

3 어휘 ㉠ 안에 들어갈 알맞은 말을 골라 색칠하세요.

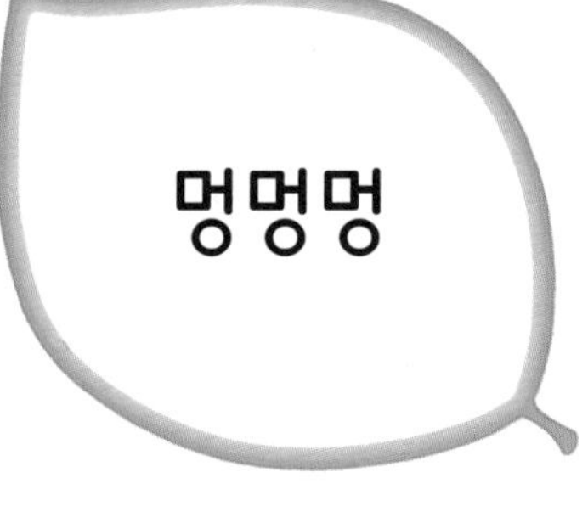

설명하는 글

어린이 체조 방법

체조를 할 때 입는 옷과 신는 신발 붙임딱지를 알맞게 붙여 보세요. 붙임딱지 1

다음 그림을 보고, 낱말을 따라 쓰세요.

어린이 체조 방법

키 크기 체조

두 팔을 위로 쭉 뻗고 발꿈치까지 들어서 몸을 펴 줘요.

허리 체조

머리 위에서 깍지를 끼고 오른쪽 왼쪽으로 움직여요.

몸 굽히기 체조

바닥에 양쪽 다리를 붙여서 앉은 다음, 무릎을 곧게 펴고 몸을 앞으로 숙여요.

어휘 풀이

- ▼ **체조** 일정한 형식에 맞게 몸을 움직임. ㉮ 잠들기 전에 가벼운 체조를 했다.
- ▼ **깍지** 두 손의 손가락들을 서로 엇갈리게 해서 꽉 잡은 상태.

1 이해 무엇을 하는 방법을 알려 주는 글인지 보기 에서 알맞은 낱말을 골라 쓰세요.

보기

공부　　독서　　체조

어린이 [　　] 방법

2 이해 키 크기 체조를 할 때 두 팔을 어떻게 해야 하는지 알맞은 것에 ○표를 하세요.

(1) 위로 쭉 뻗어요.　(　　　)
(2) 옆으로 쭉 뻗어요.　(　　　)

3 이해 다음 그림을 보고, 어떤 체조를 하는 모습인지 알맞게 선으로 이어 보세요.

(1)  •　　• 허리 체조

(2)  •　　• 몸 굽히기 체조

4 일

이야기

방귀 시합

다음은 「방귀 시합」의 한 장면이에요. 빨래를 색칠하여 그림을 완성해 보세요.

♦정답 6쪽

다음 그림을 보고, 낱말을 따라 쓰세요.

방귀 시합

옛날 어느 마을에 방귀를 아주 잘 뀌는 방귀쟁이 총각과 방귀쟁이 아주머니가 살았어요.

2
절구통을 방귀로 못 날려 떨어뜨리는 사람이 지는 거예요.

둘은 누구 방귀가 더 센지 알아보려고 방귀로 절구통 날리기 ▼시합을 하기로 했어요.

밤이 되도록 방귀 시합의 ▼승부가 나지 않자 지친 두 사람은 마지막으로 있는 힘껏 방귀를 뀌었어요.

4
절구통 이네!
떡방아를 찧자.

그러자 절구통은 멀리 달나라로 날아갔고, 토끼는 이때부터 달나라에서 ▼떡방아를 찧게 되었대요.

어휘 풀이

- ▼ **시합** 운동 등의 경기에서 서로 실력을 발휘하여 승부를 겨룸.
- ▼ **승부** 이김과 짐. ㉥ 마지막 경기의 승부가 나다.
- ▼ **떡방아** 떡을 만들 쌀을 방아로 빻는 일.

정답 6쪽

1 어휘 이 이야기에서 방귀를 잘 뀌는 사람을 무엇이라고 했는지 보기에서 골라 쓰세요.

보기

개구쟁이　　　방귀쟁이

2 이해 방귀쟁이 총각과 방귀쟁이 아주머니는 무엇을 알아보려고 방귀로 절구통 날리기 시합을 하였는지 ○표를 하세요.

(1) 누구 방귀가 더 센가? (　　　)

(2) 누구 방귀 냄새가 더 지독한가? (　　　)

3 이해 방귀 시합을 하다가 달나라로 날려 보낸 것은 무엇인지 ○표를 하세요.

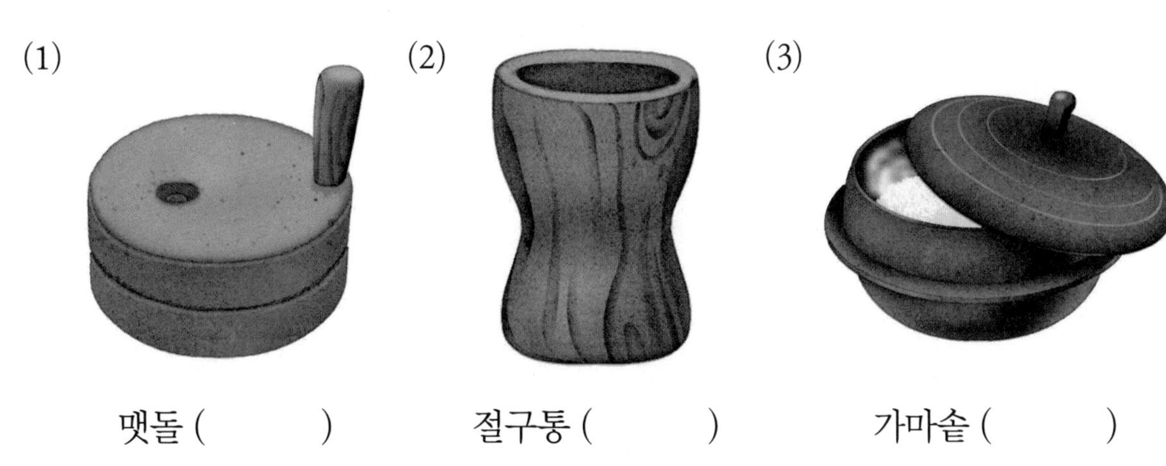

(1) 맷돌 (　　　)　(2) 절구통 (　　　)　(3) 가마솥 (　　　)

카드

할아버지, 생신 축하해요

다음 케이크에 자신의 나이만큼 촛불 붙임딱지를 붙여 보세요. 

다음 그림을 보고, 낱말을 따라 쓰세요.

할아버지, 생신 축하해요

할아버지께

안녕하세요? 저 지수예요.
할아버지, 생신을 축하해요.
사랑해요.

지수 올림

정답 7쪽

1 이해 **지수가 누구에게 쓴 카드인지 알맞은 사람에 ○표를 하세요.**

(1) 

할머니 (　　　)

(2) 

할아버지 (　　　)

(3) 

아빠 (　　　)

2 어휘 **다음 문장에 알맞은 낱말을 골라 ○표를 하세요.**

할아버지, (생일 , 생신)을 축하해요.

3 표현 **지수는 할아버지께 어떤 말씀을 드리고 싶어서 카드를 썼는지 보기 에서 골라 쓰세요.**

보기

고마워요　　죄송해요　　축하해요

할아버지, 생신을

.

평가 누구나 100점 테스트

1 다음 글에서 '나'는 누구인지 보기 에서 골라 쓰세요.

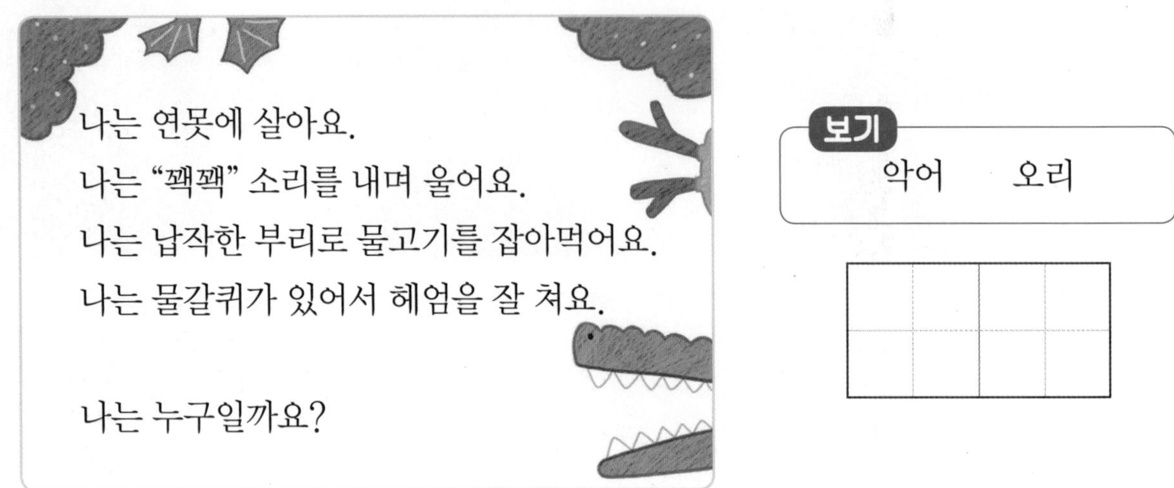

나는 연못에 살아요.
나는 "꽥꽥" 소리를 내며 울어요.
나는 납작한 부리로 물고기를 잡아먹어요.
나는 물갈퀴가 있어서 헤엄을 잘 쳐요.

나는 누구일까요?

보기
악어　　오리

2 다음 노랫말에서 ㉠에 어울리는 표정으로 알맞은 것에 ○표를 하세요.

나비야 나비야 이리 날아오너라
노랑나비 흰나비 춤을 추며 오너라
봄바람에 ㉠꽃잎도 방긋방긋 웃으며
참새도 짹짹짹 노래하며 춤춘다

(1) (　　)　　(2) (　　)　　(3) (　　)

♦정답 8쪽

3 다음은 어떤 체조를 하고 있는 모습인지 알맞은 것을 골라 ○표를 하세요.

두 팔을 위로 쭉 뻗고 발꿈치까지 들어서 몸을 펴 줘요.

(1) 키 크기 체조 ( )

(2) 몸 굽히기 체조 ( )

4 다음 이야기에서 두 사람은 무엇을 했는지 알맞은 것에 ○표를 하세요.

둘은 누구 방귀가 더 센지 알아보려고 방귀로 절구통 날리기 시합을 하기로 했어요.

밤이 되도록 방귀 시합의 승부가 나지 않자 지친 두 사람은 마지막으로 있는 힘껏 방귀를 뀌었어요.

축구 시합 방귀 시합

5 다음 할아버지께 쓴 카드에서 ㉠을 바르게 고쳐 쓴 낱말을 골라 따라 쓰세요.

할아버지께

안녕하세요? 저 지수예요.
할아버지, ㉠생일을 축하해요.
사랑해요.

지수 올림

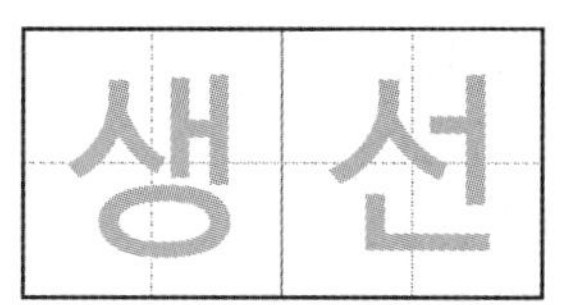

창의·융합·코딩 1

창의

1 다음 만화를 읽고, 달리기 경기에서 들어온 순서대로 선을 이으세요.

순서를 나타내는 낱말

정답 8쪽

어휘 퀴즈

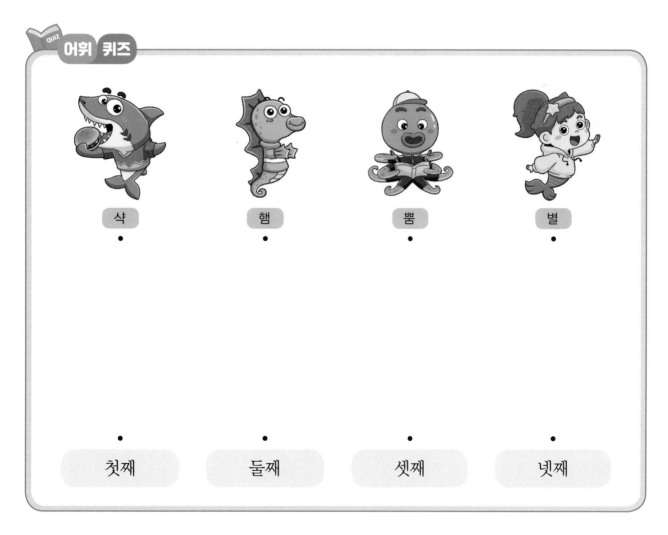

샥	햄	뿜	별
•	•	•	•
•	•	•	•
첫째	둘째	셋째	넷째

창의

2 「나는 누구일까요?」의 내용을 떠올리며 바르게 쓴 낱말을 찾아 모두 색칠해 보세요.

융합

3 노랫말 「나비야」의 내용을 떠올리며 나비의 한살이를 알아볼까요? 설명에 알맞은 붙임딱지를 붙여 보세요. 붙임딱지 1

❶ 동글동글
귀여운 알에서 시작해.

❷ 꿈틀꿈틀
애벌레가 되었어.

★붙임딱지

❸ 번데기가 되었어.
대롱대롱 매달려
조금만 기다리자!

❹ 짜잔!
예쁜 나비가 되었어.

★붙임딱지

1주 특강

창의

4 「방귀 시합」의 방귀쟁이 총각이 방귀 시합을 하러 가고 있어요. 방귀로 장애물을 날리면서 방귀쟁이 아주머니가 있는 곳으로 갈 수 있도록 선으로 이어 보세요.

天下大將軍

地下大將軍

출발

도착

정답 9쪽

5 「할아버지, 생신 축하해요」의 내용을 떠올리며 서윤이가 할아버지 댁에 잘 찾아갈 수 있도록 코딩 카드의 빈칸에 알맞은 화살표를 그려 넣으세요.

먼저 코딩 카드의 화살표 방향대로 한 칸씩 이동한 다음 빈칸에 화살표를 그려 넣어요.

2주 2주에는 무엇을 공부할까? ❶

1일 여름과 겨울을 보내요
2일 '리' 자로 끝나는 말
3일 규칙을 지켜요
4일 아기 돼지 삼 형제
5일 공연을 보아요

어, 얘들아! 이야기로 읽었던 「아기 돼지 삼 형제」를 공연으로 한대.

아기 돼지 삼 형제

「공연을 보아요」와 같은 공연 안내문이잖아? 우리 보러 가자!

좋아! 다음 주에 하는구나.

벌써부터 정말 기대돼! 만세…… 앗, 내 책!

휘릭~!

햄! 「규칙을 지켜요」 안 읽었니? 도서관에서 빌린 책인데 소중히 다뤄야지!

버럭~!

뿜, 먹물 조심해! 네 먹물이 책에 튀겠어!

으악~!

다들 못 말려….

2주 2주에는 무엇을 공부할까? ②

바르게 쓴 낱말을 따라 쓰며 오즈의 성으로 가는 길을 선으로 이어 보세요.

정답 10쪽

설명하는 글

여름과 겨울을 보내요

친구가 어떤 옷을 입고 나가면 좋을지 알맞은 옷을 3개 골라 ○표를 하세요.

다음 그림을 보고, 낱말을 따라 쓰세요.

봄

여름

가을

겨울

여름과 겨울을 보내요

여름에는 더워서 땀이 뻘뻘 나요.
시원한 반팔과 반바지를 입어요.
겨울에는 추워서 몸이 덜덜 떨려요.
따뜻한 외투를 입고, 목도리를 둘러요.
여름에는 물놀이를 하고, 겨울에는 눈놀이를 해요.

정답 11쪽

1  이 글에서는 무엇을 설명하였는지 보기 에서 알맞은 낱말을 골라 쓰세요.

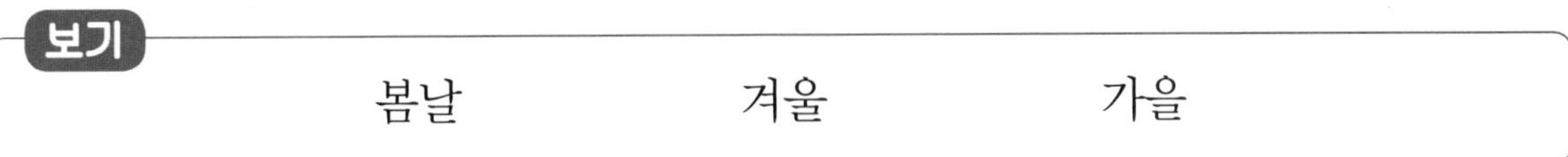
보기
봄날 겨울 가을

여름과 [ ]

2  여름과 겨울에 입는 옷을 알맞게 선으로 이으세요.

(1)  •

여름

• 

반팔

(2)  •

겨울

• 

외투

3 유추 다음 그림은 어느 계절을 나타낸 것인지 골라 ○표를 하세요.

(1) 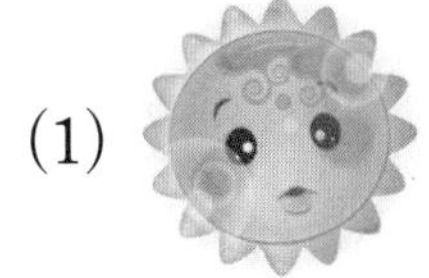 여름 (　　)

(2) 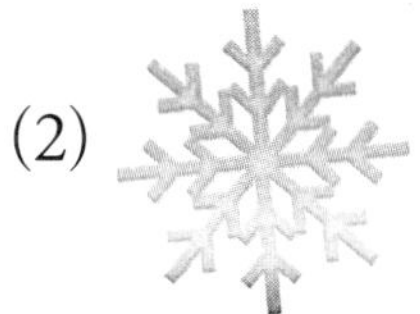 겨울 (　　)

노랫말

'리' 자로 끝나는 말

다음 그림을 보고, '리' 자로 끝나는 말을 알아보며 그림에 알맞은 붙임딱지를 각각 붙여 보세요. 붙임딱지 2

정답 12쪽

사다리를 타고 내려가서 그림에 알맞은 낱말을 따라 쓰세요.

'리' 자로 끝나는 말

윤석중

리 리 리 자로 끝나는 말은
개나리 너구리 병아리 잠자리
오리 한 마리

정답 12쪽

1 다음 말들은 어떤 글자로 끝나는 말인지 쓰세요.

이해

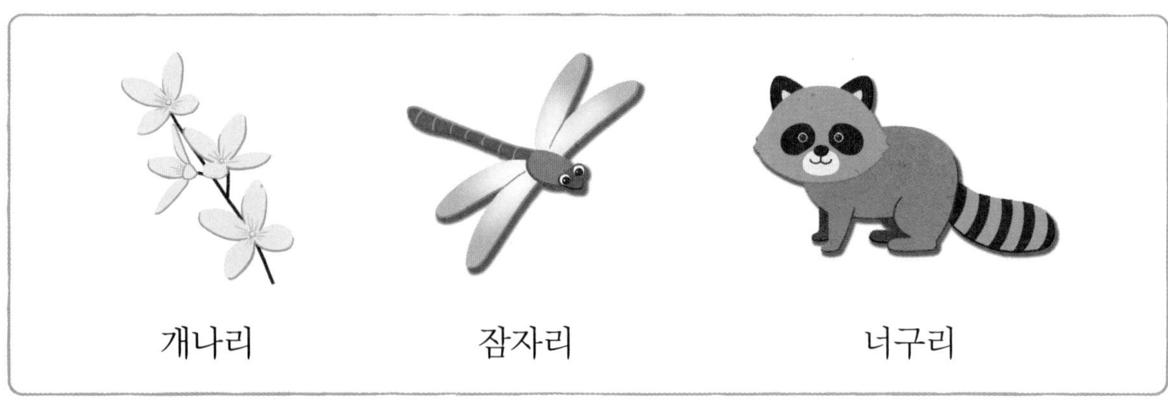

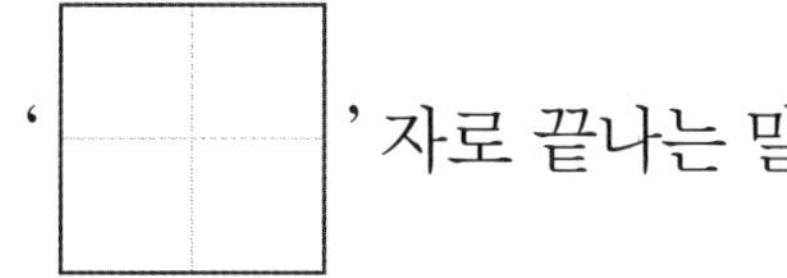

2 다음 문장에 알맞은 낱말을 골라 ○표를 하세요.

어휘

오리 한 (마리 , 개)

3 다음 중 '리' 자로 끝나는 말의 그림을 모두 골라 색칠해 보세요.

유추

불가사리

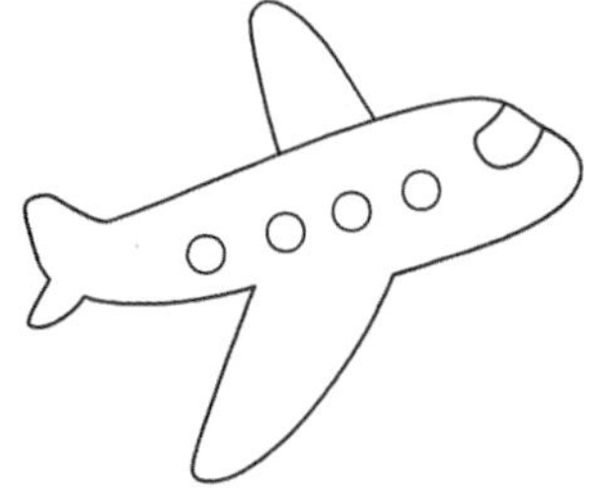
비행기

장미

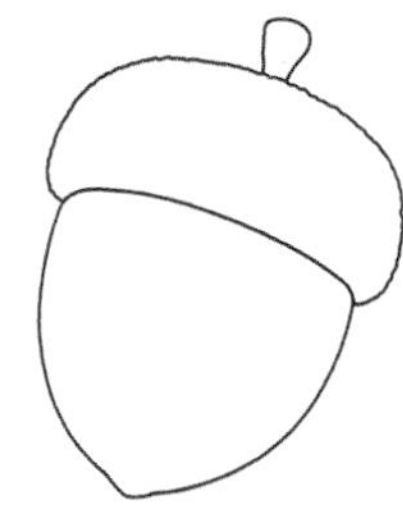
도토리

주장하는 글

규칙을 지켜요

차례를 잘 지켜 줄을 선 그림을 골라 그림의 솜사탕을 색칠해 보세요.

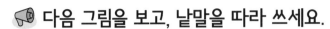

다음 그림을 보고, 낱말을 따라 쓰세요.

규칙을 지켜요

우리 모두 ▼규칙을 지켜요.
줄을 설 때에는 ▼차례를 잘 지켜 줄을 서요.
횡단보도에서는 초록불일 때에만 길을 건너요.
도서관에서는 크게 떠들거나 뛰어다니지 않아요.
모두의 얼굴에 웃음꽃이 가득 피도록 규칙을 잘 지켜요.

어휘 풀이

▼ **규칙** 여러 사람이 지키도록 정해 놓은 법칙.
예 게임은 게임 규칙을 잘 지켜야 재미있게 할 수 있다.

▼ **차례** 어떤 일을 하거나 어떤 일이 일어나는 순서.
예 아이들은 줄을 선 차례대로 버스에 탔다.

1 이해 **이 글에서는 무엇을 지키자고 했는지 보기 에서 알맞은 낱말을 골라 쓰세요.**

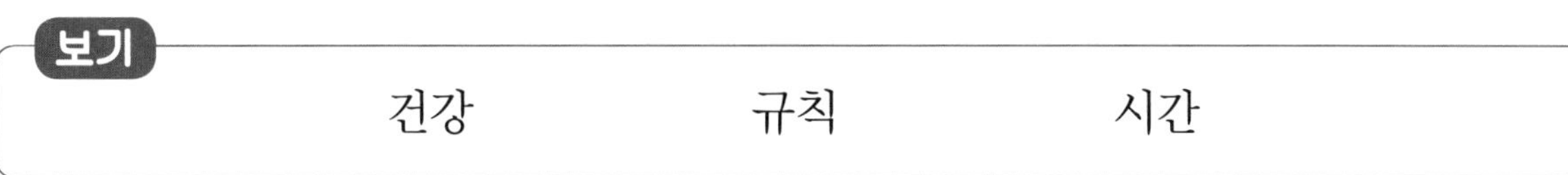

보기

건강 규칙 시간

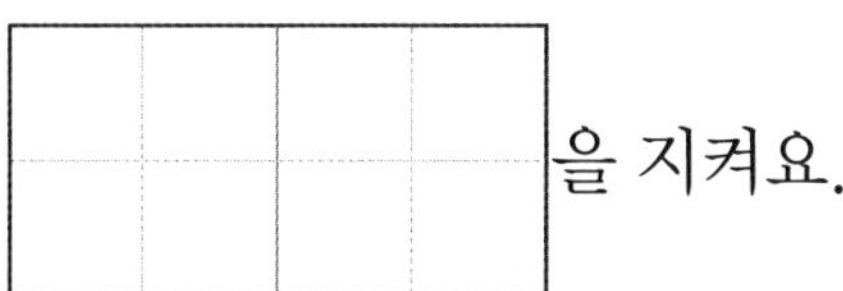을 지켜요.

2 이해 **횡단보도를 건널 때에 지켜야 할 규칙에 알맞게 선을 이으세요.**

(1) 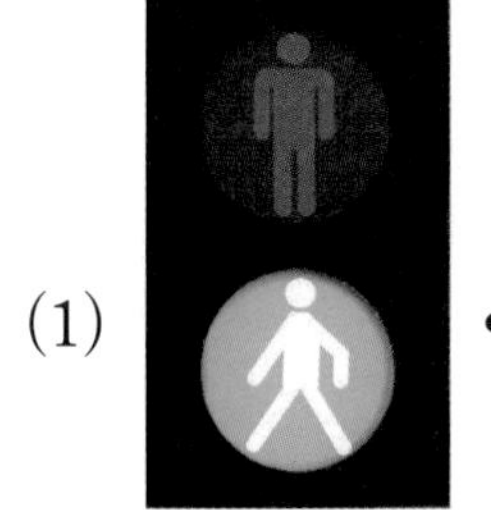 •

초록불

(2) 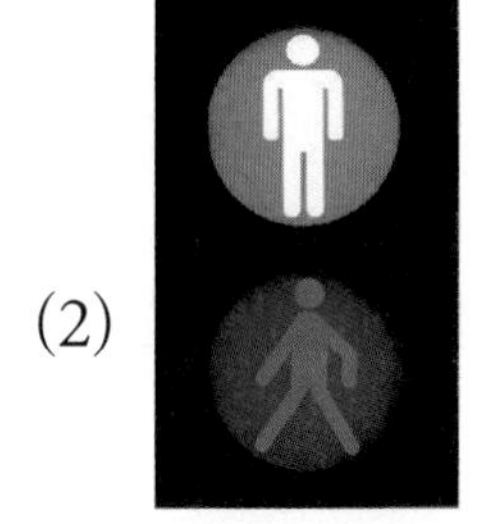 •

빨간불

• 

멈춰요.

• 

건너요.

3 유추 **다음 중 규칙을 잘 지키고 있는 친구들을 골라 ○표를 하세요.**

(1) 

( )

(2) 

( )

이야기

아기 돼지 삼 형제

붙임딱지를 붙여 아기 돼지의 벽돌집 이 층을 마음껏 꾸며 보세요. 

형들! 내 벽돌집에 온 것을 환영해!

♦정답 14쪽

길을 따라가서 아기 돼지들이 어떤 집을 지었는지 낱말을 따라 쓰세요.

나는 첫째 돼지.
빨리 짓고 잠잘래.

나는 둘째 돼지.
대충 짓고 놀래.

나는 셋째 돼지.
튼튼한 집을 지을래.

벽돌로 지은 집

나무로 지은 집

짚으로 지은 집

아기 돼지 삼 형제

배고픈 늑대는 아기 돼지 삼 형제를 잡아먹기로 했어요.

짚으로 빨리빨리 지은 첫째 돼지의 집은 늑대가 '후!' 불자 날아가 버렸어요.

나무로 대충대충 지은 둘째 돼지의 집도 늑대가 '후!' 불자 부서졌지요.

하지만 벽돌로 튼튼히 지은 셋째 돼지의 집은 늑대가 부수지 못했고 결국 늑대는 포기하고 돌아갔어요.

1 이해 **늑대는 누구를 잡아먹으려고 했는지 보기 에서 알맞은 낱말을 골라 쓰세요.**

보기

염소　　　참새　　　돼지

아기 [　　　　] 삼 형제

2 어휘 **다음 문장에 들어갈 낱말을 바르게 쓴 것을 골라 ○표를 하세요.**

나무로 (대충대충 , 데충데충) 지은 둘째 돼지의 집도 늑대가 '후!' 불자 부서졌지요.

3 이해 **다음 중 늑대가 부수지 못한 집에 ✕표를 하세요.**

(1)

짚으로 지은 집
(　　　)

(2)

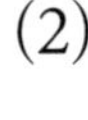

나무로 지은 집
(　　　)

(3)

벽돌로 지은 집
(　　　)

안내하는 글

공연을 보아요

다음 그림에서 빈 곳을 색칠하여 그림을 완성하세요.

토끼야,
기다려!

뮤지컬 이상한 나라의 앨리스

20○○년 9월 23일(토) 저녁 7시
천재예술극장에서 만나요!

정답 15쪽

똑똑한
하루 독해 미리 보기

다음 그림을 보고, 낱말을 따라 쓰세요.

관람을 할 때에는 전화기를 꼭 꺼 주세요.
배우
인터넷으로 예약하고 오니 참 편하군.
관객

공연을 보아요

뮤지컬 이상한 나라의 앨리스
신기한 토끼를 따라 이상한 나라에 도착한 앨리스!
앨리스에게 어떤 모험이 펼쳐질까요?

공연 날짜와 시간: 20○○년 9월 23일 토요일 저녁 7시

공연 장소: 천재예술극장

관람 요금: 만 원

※ 3세부터 관람할 수 있습니다.

※ 인터넷으로 예약할 수 있습니다.

어휘 풀이

▼ **관람** 연극, 영화, 운동 경기, 미술품 따위를 구경함. 예 극장에서 영화를 관람했다.

▼ **요금** 시설을 쓰거나 구경을 하는 값으로 내는 돈. 예 카드로 버스 요금을 냈다.

정답 15쪽

1 이해 이 글은 무엇에 대해 알려 주고 있는지 **보기** 에서 알맞은 낱말을 골라 쓰세요.

보기

대회　　공연　　학원

「이상한 나라의 앨리스」 (　　)

2 이해 이 공연을 보려면 얼마를 내야 하는지 골라 ○표를 하세요.

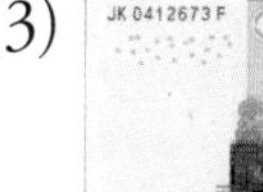

(1) 천 원(　　)　(2) 오천 원(　　)　(3) 만 원(　　)

3 유추 다음 중 이 공연을 볼 수 없는 사람에게 ✕표를 하세요.

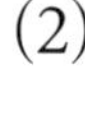

(1) 1살(　　)　(2) 7살(　　)　(3) 12살(　　)

평가 누구나 100점 테스트

1 다음 빈칸에 들어갈 알맞은 말을 보기 에서 골라 쓰세요.

보기

뻘뻘　　　　덜덜

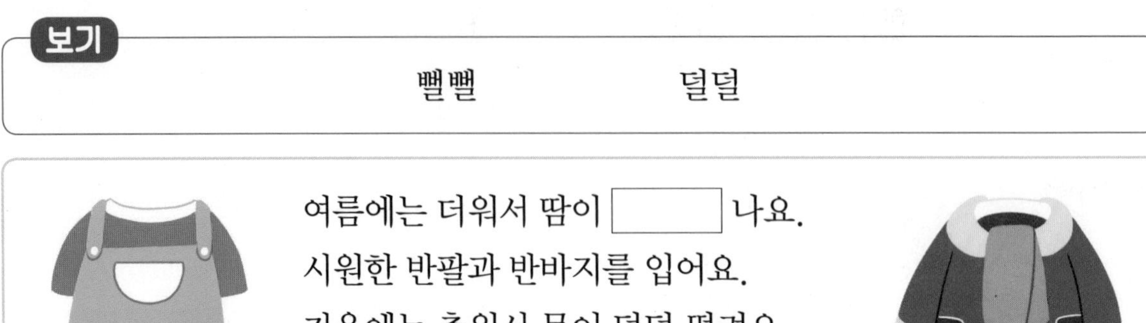

여름에는 더워서 땀이 [　　] 나요.
시원한 반팔과 반바지를 입어요.
겨울에는 추워서 몸이 덜덜 떨려요.
따뜻한 외투를 입고, 목도리를 둘러요.

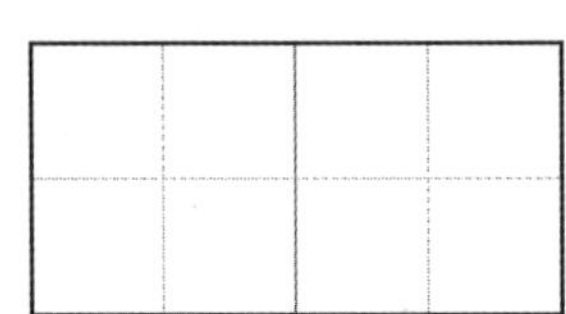

2 다음 중 '리' 자로 끝나는 말이 아닌 것에 ✕표를 하세요.

리 리 리 자로 끝나는 말은
개나리 너구리 병아리 잠자리
오리 한 마리

개나리	너구리	고양이	잠자리

점수

◆정답 16쪽

3 규칙을 잘 지켰을 때의 모습으로 알맞은 것에 ○표를 하세요.

횡단보도에서는 초록불일 때에만 길을 건너요.
도서관에서는 크게 떠들거나 뛰어다니지 않아요.
모두의 얼굴에 웃음꽃이 가득 피도록 규칙을 잘 지켜요.

(1)  (　　)

(2)  (　　)

4 첫째 돼지의 집은 무엇으로 지은 집이었나요? (　　　)

배고픈 늑대는 아기 돼지 삼 형제를 잡아먹기로 했어요.
짚으로 빨리빨리 지은 첫째 돼지의 집은 늑대가 '후!' 불자 날아가 버렸어요.

① 흙　② 짚　③ 나무　④ 벽돌　⑤ 얼음

5 공연은 무슨 요일에 하는지 골라 ○표를 하세요.

공연 날짜와 시간: 20○○년 9월 23일 토요일 저녁 7시
공연 장소: 천재예술극장
관람 요금: 만 원
※ 3세부터 관람할 수 있습니다.
※ 인터넷으로 예약할 수 있습니다.

토요일

수요일

2주 평가

2주 특강

창의·융합·코딩 1

창의

1 다음 만화를 읽고, 그림에 어울리는 낱말을 찾아 선으로 이으세요.

날씨를 표현하는 낱말

정답 16쪽

어휘 퀴즈

(1)  • • 맑음

(2) • • 흐림

(3) • • 비

코딩

2 「여름과 겨울을 보내요」의 내용을 떠올리며 코딩 카드에 따라 이동해 보고, 친구가 입은 옷으로 알맞은 것에 ○표를 하세요.

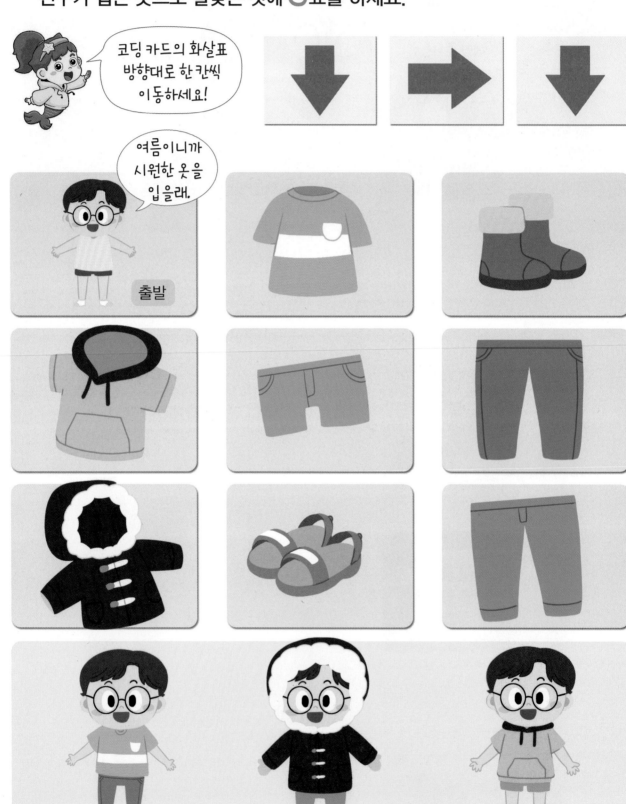

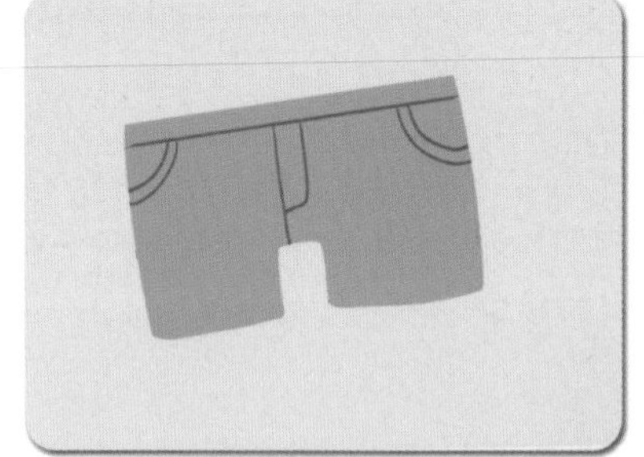
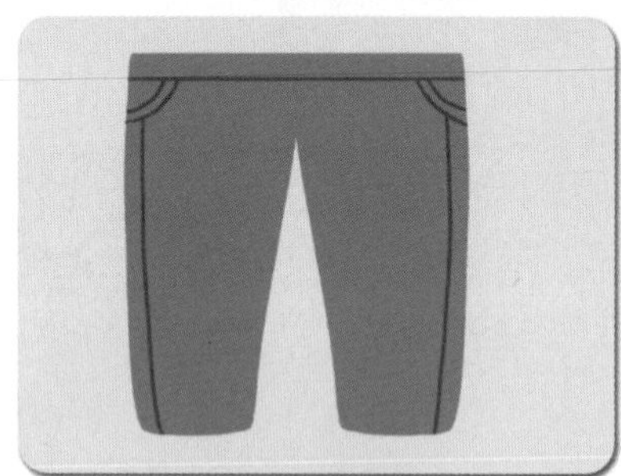

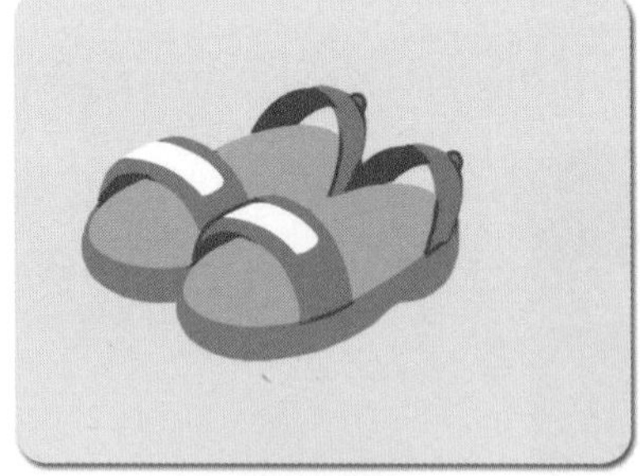
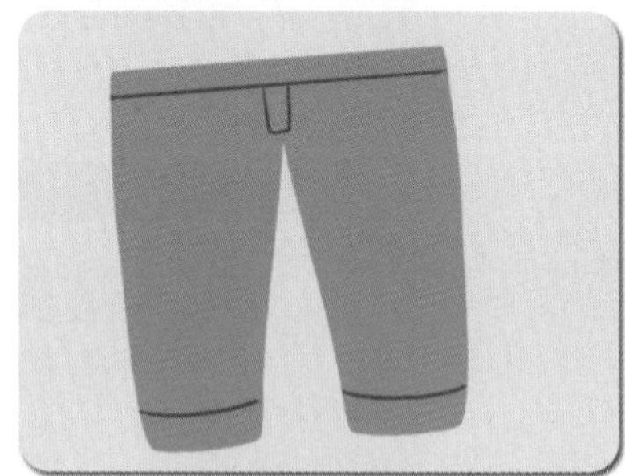

정답 17쪽

창의

3 「'리' 자로 끝나는 말」의 내용을 떠올리며 사람들의 문제를 해결하기 위해 필요한 물건을 찾아 아래쪽 그림에 붙임딱지를 붙여 보세요. 붙임딱지 2

2주
특강

융합

4 「규칙을 지켜요」의 내용을 떠올리며 다음 친구가 횡단보도를 알맞게 건너 집으로 갈 수 있도록 길을 찾아 선으로 이어 보세요.

정답 17쪽

융합

5 「아기 돼지 삼 형제」에 나온 집들을 떠올리며 또 무엇으로 지은 집들이 있는지 알아보아요. 그림에 알맞은 붙임딱지를 붙여 보세요. 붙임딱지 ②

★붙임딱지

사냥할 때 잠시 머무르려고
얼음으로 집을 지었어.

★붙임딱지

쉽게 옮길 수 있도록
천으로 집을 지었어.

★붙임딱지

뜨거운 햇빛을 막으려고
흙으로 두껍게 집을 지었어.

2주 특강

3주

3주에는 무엇을 공부할까? ①

1일 골고루 맛있게 냠냠
2일 여우야 여우야 뭐 하니
3일 스마트폰 바르게 사용하기
4일 토끼의 재판
5일 구름 아이스크림

3주 3주에는 무엇을 공부할까? ②

다음 낱말을 따라 쓰고, 숨어 있는 그림을 모두 찾아 ○표를 하세요.

정답 18쪽

주장하는 글

골고루 맛있게 냠냠

다음 상 위에 자신이 좋아하는 음식 붙임딱지를 붙여 보세요. 붙임딱지 3

엄마께서 내가 좋아하는
음식들로 상을 차려 주셨어.
너희들은 어떤 음식을 좋아하니?

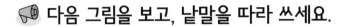

다음 그림을 보고, 낱말을 따라 쓰세요.

우리 몸에 좋은
채소 사세요.

보라색
가지

주황색
당근

초록색
시금치

골고루 맛있게 냠냠

빨간색 김치도 맛있게 냠냠
노란색 달걀말이도 맛있게 냠냠
초록색 시금치나물도 맛있게 냠냠
노릇노릇 생선구이도 맛있게 냠냠
우리 모두 음식을 골고루 맛있게 냠냠 먹어요.

1 이해 다음 음식의 색깔은 어떠하다고 하였는지 각각 선으로 이으세요.

(1) 

달걀말이

(2) 

시금치나물

초록색

노란색

2 어휘 음식을 맛있게 먹는 소리나 모양을 흉내 내는 말을 보기 에서 골라 쓰세요.

보기
똑똑 냠냠 총총

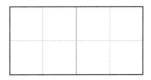

3 이해 이 글에서는 무엇을 하자고 하였는지 알맞은 것에 ○표를 하세요.

(1) 

책을 열심히 읽어요. (   )

(2) 

음식을 골고루 먹어요. (   )

2
일

노랫말

여우야 여우야 뭐 하니

모자와 남방을 색칠하여 그림을 완성해 보세요.

예쁜 남방을 입고,
멋진 모자를 쓰니까
예쁜이가 되었네!

사다리를 타고 내려가서 알맞게 쓴 낱말을 따라 쓰세요.

쿨쿨 잠자는
나는 잠꾸러기!

뽀득뽀득 세수하는
나는 멋쟁이!

예쁜 옷을 입는
나는 예쁜이!

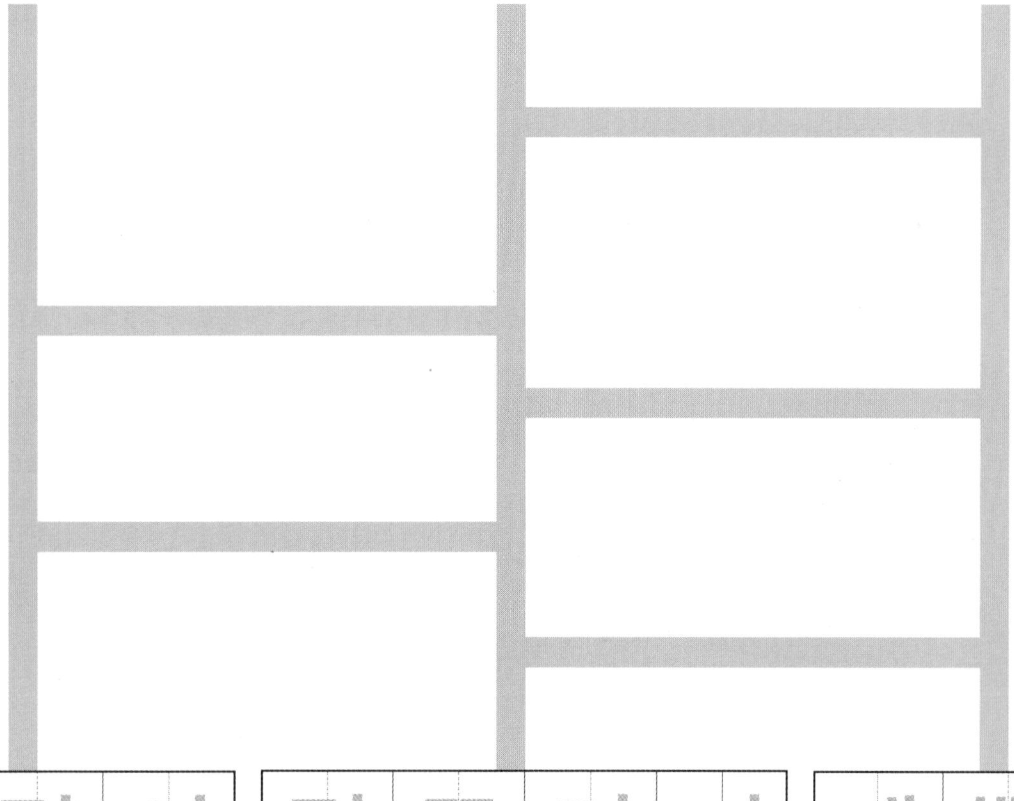

멋	장	이		잠	꾸	러	기		예	쁜	이
멋	쟁	이		잠	구	러	기		얘	쁜	이

여우야 여우야 뭐 하니

여우야 여우야 뭐 하니
잠잔다 잠꾸러기

여우야 여우야 뭐 하니
세수한다 멋쟁이

여우야 여우야 뭐 하니
옷 입는다 예쁜이

여우야 여우야 뭐 하니
밥 먹는다 무슨 반찬
개구리 반찬

죽었니 살았니
살았다

정답 20쪽

1 이해 이 노랫말에서 무엇을 하는지 대답하는 동물을 골라 색칠해 보세요.

개구리　　여우　　다람쥐

2 어휘 세수하는 여우에게 무엇이라고 말했는지 낱말을 따라 쓰세요.

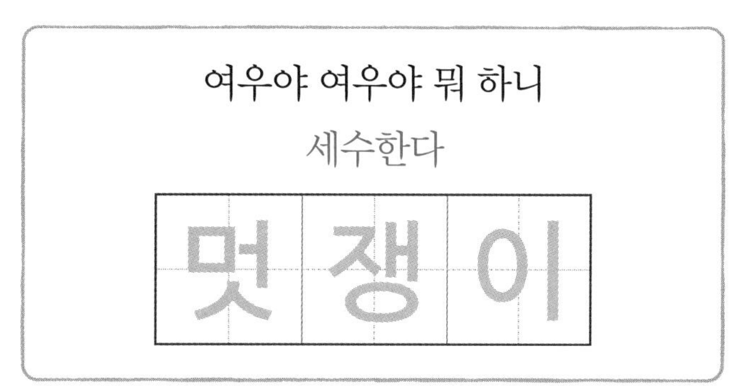

3 이해 이 노랫말에서 여우가 하는 일이 아닌 것에 ✕표를 하세요.

노래 부르기 (　　　)　밥 먹기 (　　　)　옷 입기 (　　　)

3주 2일

설명하는 글

스마트폰 바르게 사용하기

스마트폰 케이스에 붙임딱지를 붙여 예쁘게 꾸며 보세요. 

마음에 드는
붙임딱지를 붙여
나를 예쁘게 꾸며 줘!

정답 21쪽

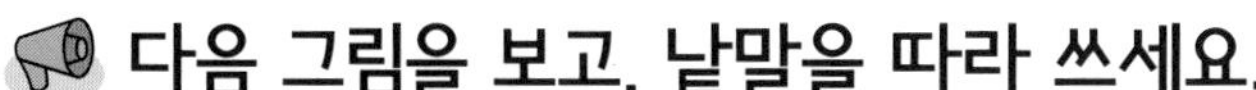

다음 그림을 보고, 낱말을 따라 쓰세요.

어린이 친구들!
바르게 앉아서
스마트폰을 사용하기로 해요.

꼭 약속 할게요!

스마트폰 바르게 사용하기

고개를 너무 숙이지 않고 바르게 앉아서 사용해요.

부모님과 약속한 시간만큼만 사용해요.

눈이 나빠질 수 있으니 어두운 곳에서 사용하면 안 돼요.

걸어 다닐 때나 밥을 먹을 때 사용하면 안 돼요.

1 이해 **이 글은 무엇에 대해 알려 주고 있는지 낱말을 따라 쓰세요.**

스마트폰을 바르게 사용하는 방법

2 이해 **어두운 곳에서 스마트폰을 사용하면 어떻게 될 수 있다고 하였는지 알맞은 것에 ○표를 하세요.**

(1) 감기에 걸릴 수 있어요. (   )
(2) 눈이 나빠질 수 있어요. (   )

3 이해 **다음 중 스마트폰을 바르게 사용하고 있는 그림을 골라 ○표를 하세요.**

(1) 
(   )

(2) 
(   )

(3) 
(   )

연극의 대본

토끼의 재판

「토끼의 재판」 연극을 할 때 필요한 가면을 만들 거예요. 색칠해서 가면을 완성해 보세요.

♦정답 22쪽

다음 그림을 보고, 낱말을 따라 쓰세요.

우리는 「토끼의 재판」에 나오는 등장인물들이야.

토끼

소나무

나그네

사냥꾼

호랑이

길

토끼의 재판

앞 이야기

나그네가 사냥꾼의 ▼궤짝에 갇힌 호랑이를 꺼내 주었는데, 호랑이는 나그네를 잡아먹으려고 했어요. 둘은 ▼재판을 받기로 하고 소나무와 길에게 누가 옳은지 물었는데 모두 호랑이가 옳다고 했어요. 둘은 마지막으로 토끼에게 물어보기로 했어요.

어휘 풀이

▼ **궤짝** 물건을 넣도록 나무로 네모나게 만든 상자. 예 사과를 궤짝에 넣어 보관했다.

▼ **재판** 옳고 그름을 따져 판단함.

◆정답 22쪽

1 어휘 호랑이는 어디에 갇혀 있었는지 바르게 쓴 낱말을 골라 따라 쓰세요.

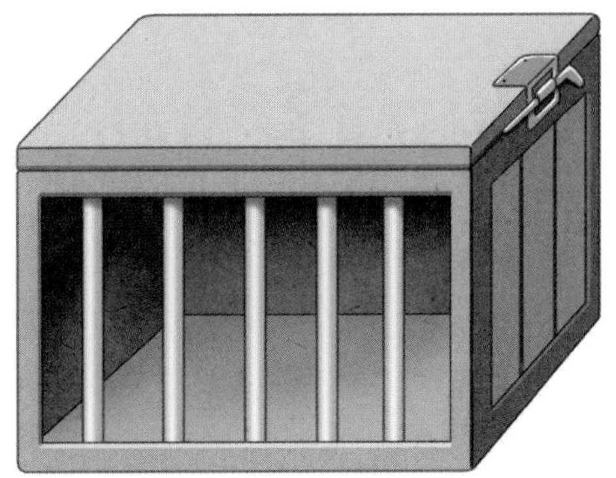

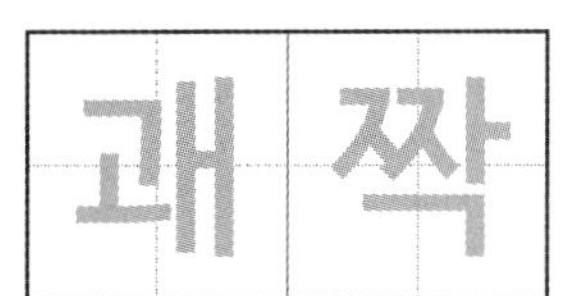

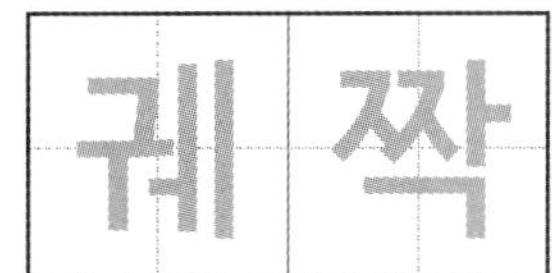

2 이해 나그네와 호랑이가 토끼에게 물어본 것은 무엇인지 ○표를 하세요.

(1) 나그네와 호랑이 중에서 누가 옳은가? (　　)

(2) 나그네와 호랑이 중에서 누가 힘이 센가? (　　)

3 유추 장면 ④에 어울리는 나그네의 표정으로 알맞은 것에 ○표를 하세요.

(1)  (　　)

(2)  (　　)

(3)  (　　)

광고하는 글

구름 아이스크림

다음 아이스크림콘 위에 아이스크림 붙임딱지를 붙여 보세요. 

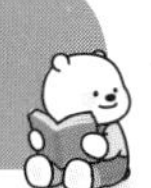

다음 그림을 보고, 낱말을 따라 쓰세요.

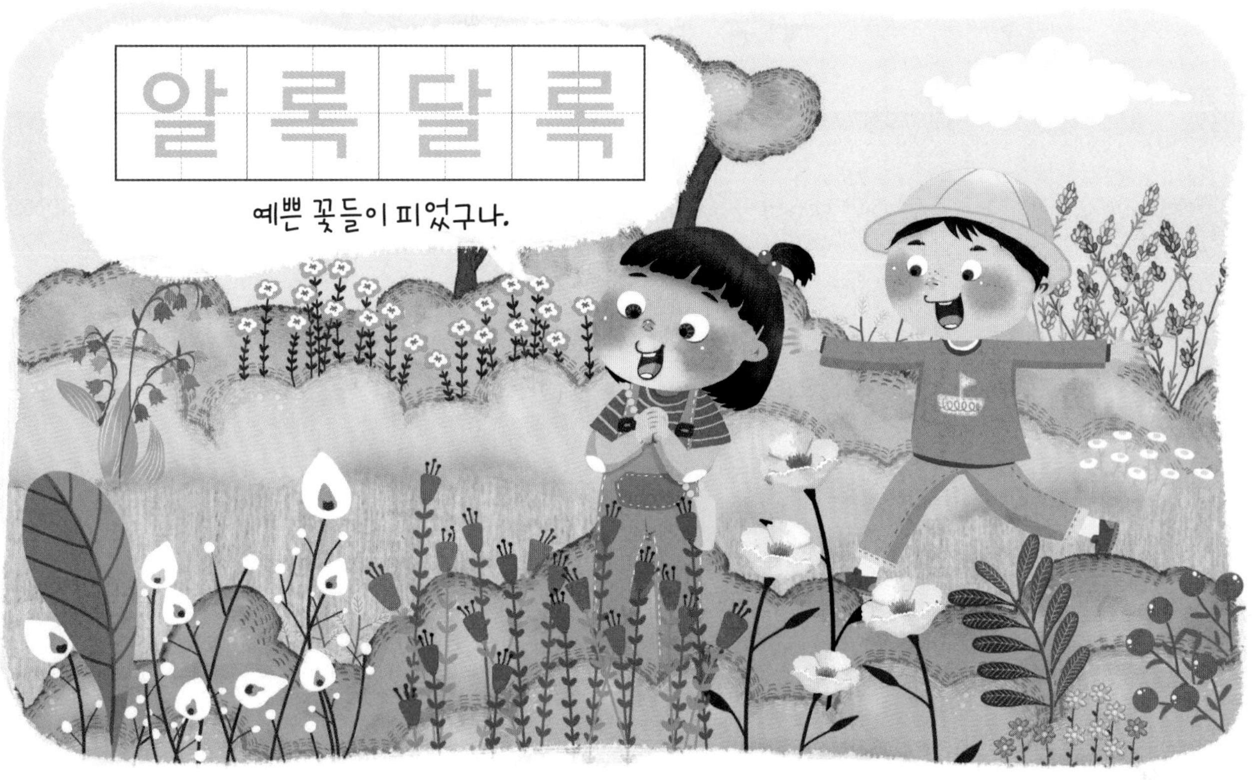
알록달록
예쁜 꽃들이 피었구나.

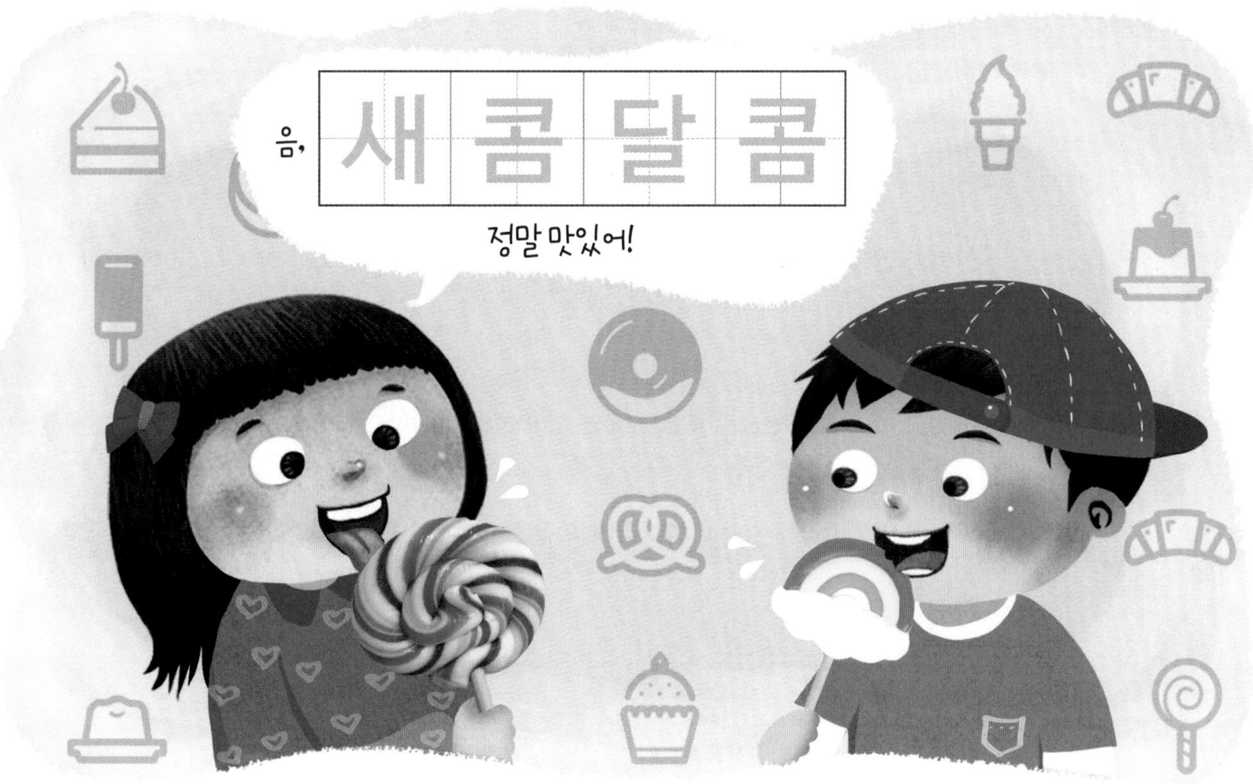
음, 새콤달콤
정말 맛있어!

구름 아이스크림
구름처럼 부드러워요.
과일을 넣어 새콤달콤해요.
알록달록 색깔도 예뻐요.
한 입 먹으면 빙그레 ▼미소가 지어지는
구름 아이스크림!
※ 주의: 많이 먹으면 ▼배탈이 날 수 있으니 하루에 한 개만 먹어요!

어휘 풀이

▼ **미소** 소리 없이 빙긋이 웃는 웃음. 예 내 친구는 미소가 참 예쁘다.

▼ **배탈** 먹은 음식이 체하거나 설사를 하거나 배가 아프거나 하는 병.

1 이해 이 글은 무엇을 광고하고 있는지 낱말을 따라 쓰세요.

구름 아이스크림

2 어휘 구름 아이스크림의 맛은 어떠하다고 하였는지 알맞은 말에 ○표를 하세요.

과일을 넣어 (알록달록 , 새콤달콤)해요.

3 이해 아이스크림을 많이 먹으면 어떻게 된다고 하였는지 알맞은 것에 ○표를 하세요.

(1)

몸이 튼튼해져요. (　　　)

(2)

배탈이 날 수 있어요. (　　　)

평가 누구나 100점 테스트

1 다음 글에 나온 음식이 아닌 것에 ✕표를 하세요.

빨간색 김치도 맛있게 냠냠
노란색 달걀말이도 맛있게 냠냠
초록색 시금치나물도 맛있게 냠냠
노릇노릇 생선구이도 맛있게 냠냠
우리 모두 음식을 골고루 맛있게 냠냠 먹어요.

(1)  생선구이 (　　　)

(2) 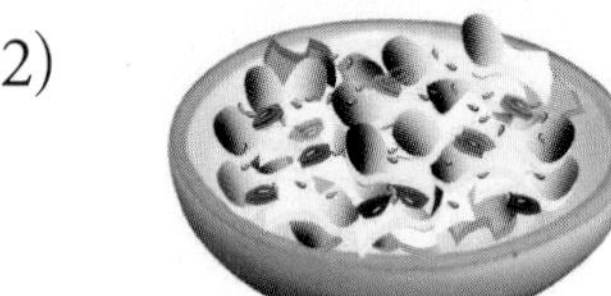 버섯볶음 (　　　)

(3)  달걀말이 (　　　)

2 다음 노랫말에서 ㉠ 과 ㉡ 안에 들어갈 말을 각각 선으로 이으세요.

여우야 여우야 뭐 하니
잠잔다 ㉠

여우야 여우야 뭐 하니
세수한다 ㉡

여우야 여우야 뭐 하니
옷 입는다 예쁜이

(1) ㉠ •　　　　• 멋쟁이

(2) ㉡ •　　　　• 잠꾸러기

점수

♦정답 24쪽

3 다음 글은 무엇에 대해 설명하고 있는지 골라 ○표를 하세요.

고개를 너무 숙이지 않고 바르게 앉아서 사용해요.

부모님과 약속한 시간만큼만 사용해요.

(1) 체조를 바르게 하는 방법 (　　)

(2) 스마트폰을 바르게 사용하는 방법 (　　)

4 다음 장면을 연극할 때 필요 없는 동물 가면에 ✕표를 하세요.

나와 나그네 중에서 누가 옳으냐고?
무슨 말인지 모르겠어.

3주 평가

5 다음 빈칸에 들어갈 아이스크림의 색깔을 나타내는 말을 골라 따라 쓰세요.

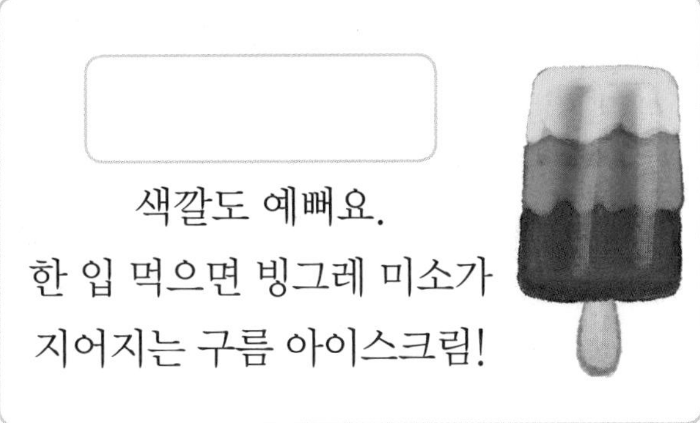
색깔도 예뻐요.
한 입 먹으면 빙그레 미소가
지어지는 구름 아이스크림!

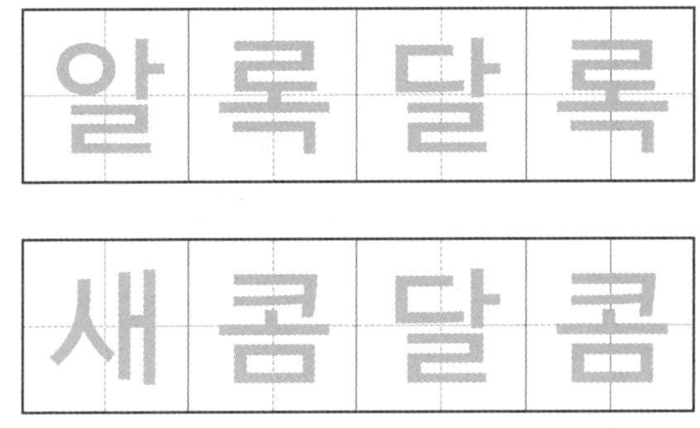
알록달록
새콤달콤

창의·융합·코딩 1

창의

1 다음 만화를 읽고, 그림에 어울리는 낱말을 찾아 선으로 이으세요.

색깔을 나타내는 낱말

정답 24쪽

어휘 퀴즈

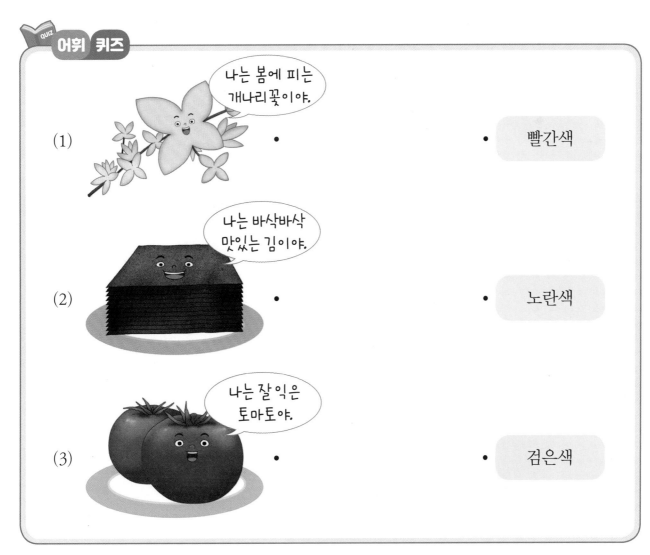

(1) 나는 봄에 피는 개나리꽃이야. • • 빨간색

(2) 나는 바삭바삭 맛있는 김이야. • • 노란색

(3) 나는 잘 익은 토마토야. • • 검은색

3주 특강

융합

2 「골고루 맛있게 냠냠」의 내용을 떠올리며 먹고 싶은 간식을 모두 골라 색칠해 보세요.

창의

3 「여우야 여우야 뭐 하니」의 내용을 떠올리며 바르게 쓴 낱말을 따라 미로를 빠져나가 보세요.

잠꾸러기
잠구러기
멋쟁이
멋장이
반찬
반챤
개구리
게구리

창의

4 「스마트폰 바르게 사용하기」의 내용을 떠올리며 서로 다른 부분을 3군데 찾아 ○표를 하세요.

정답 25쪽

코딩

5 「구름 아이스크림」을 읽고 아이스크림을 사러 왔어요. 코딩 카드에 따라 이동하여 친구가 고른 아이스크림의 붙임딱지를 모두 붙여 보세요. 붙임딱지 ④

코딩 카드의 화살표 방향대로 한 칸씩 이동하세요!

친구가 고른 아이스크림

3주 특강

마무리 학습

공부한 내용을 정리해요

공부한 내용을 떠올리며 만화를 읽어 보세요.

오늘 집에 가서
독해 시간에 배운 카드를 떠올리며
선생님과 친구들에게 카드를
써야겠어.
좋은 생각이야!
지금까지 우리 정말 열심히
독해 공부를 한 것 같아.
으쓱!
응! 이제 모든 과목의
공부에 자신감이 생겼어!
히히!
그럼 우리 모두 초등학교에
들어가서는 우등생이 되겠다!
우아아아~!

마무리 학습

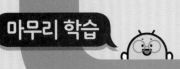

마무리 학습

신경향·신유형·서술형 1

1 앨리스가 이상한 성을 빠져나갈 수 있도록 알맞은 낱말에 ○표를 하세요.

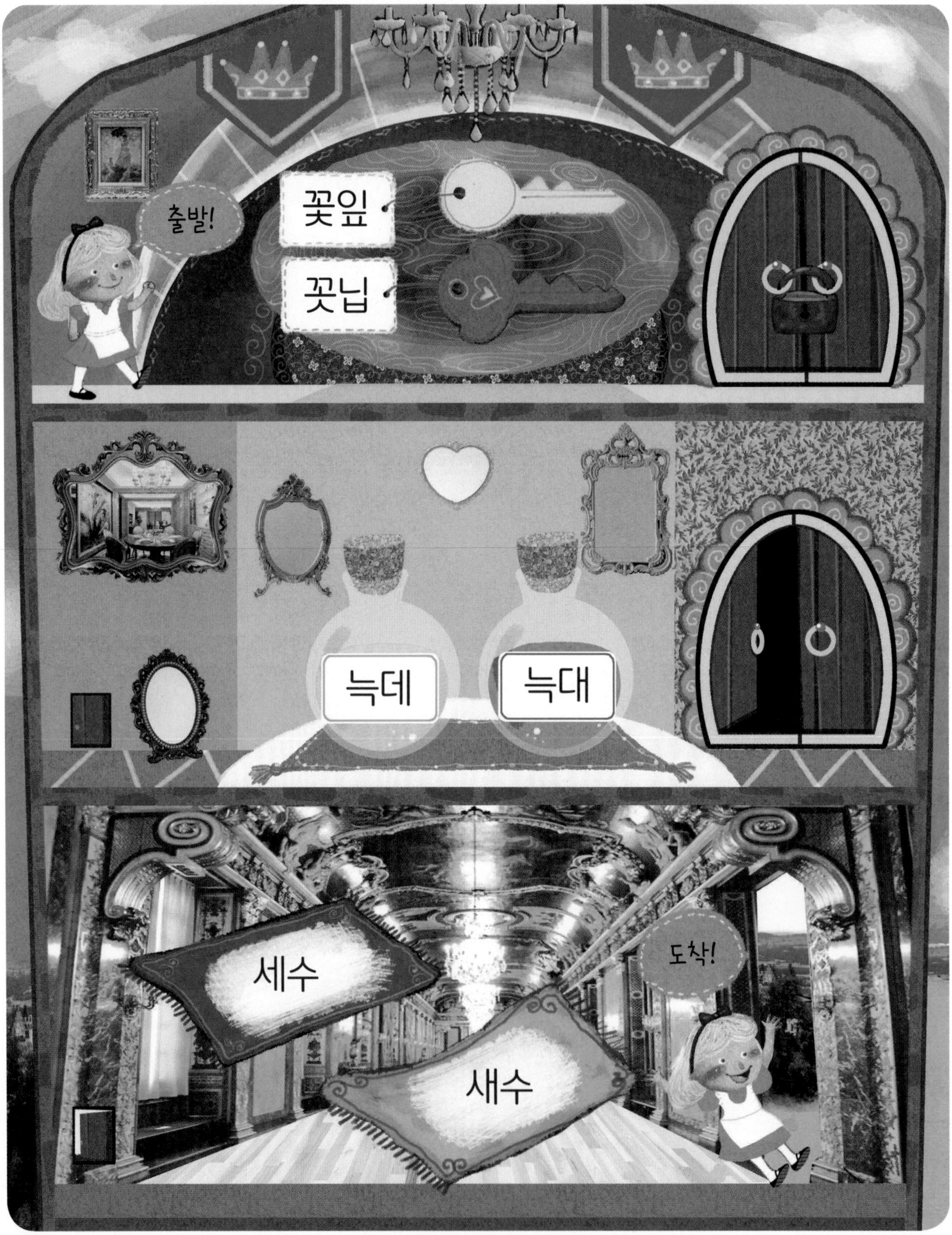

정답 26쪽

2 「나는 누구일까요?」를 읽은 친구가 고양이를 답으로 하여 '나는 누구일까요?' 문제를 내려고 해요. 빈칸에 들어갈 말을 **보기**에서 골라 쓰세요.

나는 온몸에 털이 있어요.
나는 날카로운 발톱과 이빨이 있어요.
나는 "야옹" 소리를 내며 울어요.
나는 누구일까요?

보기

나는 높은 곳에 잘 올라가요.　　　나는 바다 깊이 잘 헤엄쳐요.

	나	는	V			V			V
	V					.			

마무리 학습

신경향·신유형·서술형 2

3 끝나는 말이 같은 낱말들끼리 나누려고 해요. 바구니에 각각 알맞은 붙임딱지를 붙여 보세요. 붙임딱지 4

정답 26쪽

4 「토끼의 재판」에 나오는 나그네와 호랑이가 토끼를 만나 재판을 받을 수 있도록 빈칸에 알맞은 화살표를 그려 넣으세요.

출발		
		도착

마무리 학습

마무리 학습

기초 종합 정리 문제 1회

1 다음 어린이 체조 방법에 알맞은 그림을 골라 ○표를 하세요.

몸 굽히기 체조

바닥에 양쪽 다리를 붙여서 앉은 다음, 무릎을 곧게 펴고 몸을 앞으로 숙여요.

( ) ( ) ( )

2 다음 이야기에서 두 방귀쟁이가 방귀로 무엇을 날리는 시합을 했는지 골라 따라 쓰세요.

옛날 어느 마을에 방귀를 아주 잘 뀌는 방귀쟁이 총각과 방귀쟁이 아주머니가 살았어요.

둘은 누구 방귀가 더 센지 알아보려고 방귀로 절구통 날리기 시합을 하기로 했어요.

가	마	솥

절	구	통

점수

정답 27쪽

3 다음 카드는 어떤 마음을 표현하고 있는지 골라 ○표를 하세요.

할아버지께

안녕하세요? 저 지수예요.
할아버지, 생신을 축하해요.
사랑해요.

지수 올림

(미안한 , 고마운 , 축하하는) 마음

4 다음 그림을 보고, 놀이를 하고 있는 계절이 언제인지 기호를 쓰세요.

㉠여름에는 물놀이를 하고, ㉡겨울에는 눈놀이를 해요.

( )

5 다음 글에서 하고 싶은 말을 골라 ○표를 하세요.

횡단보도에서는 초록불일 때에만 길을 건너요.
도서관에서는 크게 떠들거나 뛰어다니지 않아요.
모두의 얼굴에 웃음꽃이 가득 피도록 규칙을 잘 지켜요.

(1) 책을 많이 읽어요. ( )
(2) 규칙을 잘 지켜요. ( )

마무리 학습

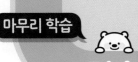

기초 종합 정리 문제 1회

6 다음 이야기에 누가누가 나오는지 고르세요. (　　　　　　)

❶ 배고픈 늑대는 아기 돼지 삼 형제를 잡아먹기로 했어요.

❷ 벽돌로 튼튼히 지은 셋째 돼지의 집은 늑대가 부수지 못했고 결국 늑대는 포기하고 돌아갔어요.

① 여우　② 늑대　③ 토끼　④ 호랑이　⑤ 아기 돼지 삼 형제

7 다음 글에서 잘못 쓴 낱말을 골라 기호를 쓰세요.

공연 ㉠날짜와 시간: 20○○년 9월 23일 토요일 저녁 7시
공연 장소: 천재예술극장
㉡괄람 요금: 만 원
※ 3세부터 관람할 수 있습니다.
※ 인터넷으로 ㉢예약할 수 있습니다.

(　　　　　　　　)

8 다음 노랫말에서 여우의 반찬은 무엇이라고 하였는지 골라 ○표를 하세요.

여우야 여우야 뭐 하니
밥 먹는다 무슨 반찬
개구리 반찬

(1) 나뭇잎 (　　　)　(2) 닭고기 (　　　)　(3) 개구리 (　　　)

정답 27쪽

9 다음 글을 읽고, 스마트폰을 바르게 사용한 친구의 이름을 쓰세요.

눈이 나빠질 수 있으니 어두운 곳에서 사용하면 안 돼요.

걸어 다닐 때나 밥을 먹을 때 사용하면 안 돼요.

서윤: 밝은 곳에서 스마트폰을 사용했어.
지수: 걸어 다닐 때 스마트폰을 사용했어.
수혁: 밥을 먹을 때 스마트폰을 사용했어.

( )

10 다음 글에서 구름 아이스크림을 한 입 먹으면 어떻게 된다고 하였는지 골라 ○표를 하세요.

구름처럼 부드러워요.
과일을 넣어 새콤달콤해요.
알록달록 색깔도 예뻐요.
한 입 먹으면 빙그레 미소가 지어지는
구름 아이스크림!

(1) 번쩍 눈이 커져요. ( )
(2) 빙그레 미소가 지어져요. ( )

마무리 학습

기초 종합 정리 문제 2회

1 '나'는 무엇이 있어서 헤엄을 잘 친다고 하였는지 골라 따라 쓰세요.

나는 "꽥꽥" 소리를 내며 울어요.
나는 납작한 부리로 물고기를 잡아먹어요.
나는 물갈퀴가 있어서 헤엄을 잘 쳐요.

부리 물갈퀴 날개

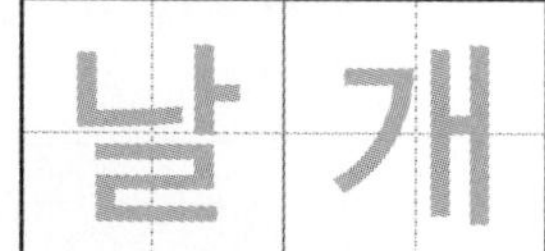

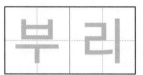

2 다음 노랫말에 나타난 계절은 언제인가요? (   )

나비야 나비야 이리 날아오너라
노랑나비 흰나비 춤을 추며 오너라
봄바람에 꽃잎도 방긋방긋 웃으며
참새도 짹짹짹 노래하며 춤춘다

① 봄 ② 여름 ③ 가을 ④ 겨울

3 허리 체조를 할 때에는 어느 쪽으로 움직여야 하는지 ○표를 하세요.

허리 체조

머리 위에서 깍지를 끼고 오른쪽 왼쪽으로 움직여요.

(1) 앞쪽과 뒤쪽 (   )
(2) 오른쪽과 왼쪽 (   )

점수

정답 28쪽

4 다음 중 여름에 입는 옷으로 알맞지 않은 것을 골라 ✕표를 하세요.

여름에는 더워서 땀이 뻘뻘 나요.
시원한 반팔과 반바지를 입어요.
겨울에는 추워서 몸이 덜덜 떨려요.
따뜻한 외투를 입고, 목도리를 둘러요.

(1) ( )　(2) ( )　(3) ( )

마무리 학습

5 다음 노랫말의 빈칸에 똑같이 들어갈 글자를 골라 색칠해 보세요.

☐☐☐ 자로 끝나는 말은
개나리 너구리 병아리 잠자리
오리 한 마리

기

리

이

히

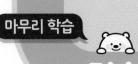

기초 종합 정리 문제 2회

6 다음 ㉠과 ㉡에 어울리는 그림을 각각 선으로 이으세요.

우리 모두 규칙을 지켜요.
㉠줄을 설 때에는 차례를 잘 지켜 줄을 서요.
㉡횡단보도에서는 초록불일 때에만 길을 건너요.
도서관에서는 크게 떠들거나 뛰어다니지 않아요.

(1) ㉠ •

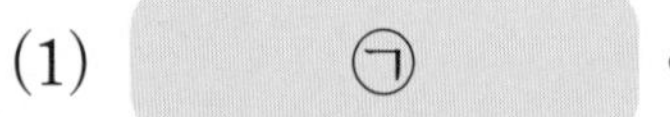

• 

(2) ㉡ •

• 

7 다음 글에서 나온 음식들 중 빨간색 음식은 무엇인가요? (   )

빨간색 김치도 맛있게 냠냠
노란색 달걀말이도 맛있게 냠냠
초록색 시금치나물도 맛있게 냠냠
노릇노릇 생선구이도 맛있게 냠냠

① 김치 ② 달걀말이 ③ 버섯볶음
④ 생선구이 ⑤ 시금치나물

정답 28쪽

8 다음을 읽고, 스마트폰을 사용하기에 알맞은 곳에 ○표를 하세요.

눈이 나빠질 수 있으니 어두운 곳에서 사용하면 안 돼요.

(1) 

( )

(2) 

( )

9 다음 「토끼의 재판」 연극 장면에 나오지 않은 등장인물에게 ✕표를 하세요.

(1) 토끼 ( )
(2) 거북이 ( )
(3) 호랑이 ( )

마무리 학습

10 다음 글에서 잘못 쓴 낱말을 골라 기호를 쓰세요.

알록달록 ㉠색깔도 예뻐요.
한 입 먹으면 ㉡빙그레 미소가 지어지는
구름 ㉢아이스크림!

※ 주의: 많이 먹으면 ㉣베탈이 날 수 있으니 하루에 한 개만 먹어요!

( )

똑똑한 하루 독해 한권 끝!

독해 공부 하느라 수고했어요.

약속을 잘 지켰는지 돌아보고 ◯표를 하세요.

약속한 사람 ______________

★ **첫째,** 하루하루 빠짐없이 꾸준히 공부했나요?	예	아니요
★ **둘째,** 하루 독해 문제를 끝까지 다 풀었나요?	예	아니요
★ **셋째,** 틀린 문제는 왜 틀렸는지 다시 한번 확인했나요?	예	아니요

약속을 잘 지키지 못한 부분은 스스로 돌아보고,
다음 단계를 공부할 때에는 더 열심히 해 봐요!

내가 가장 좋아하는 사람에게 편지를 써 보세요.

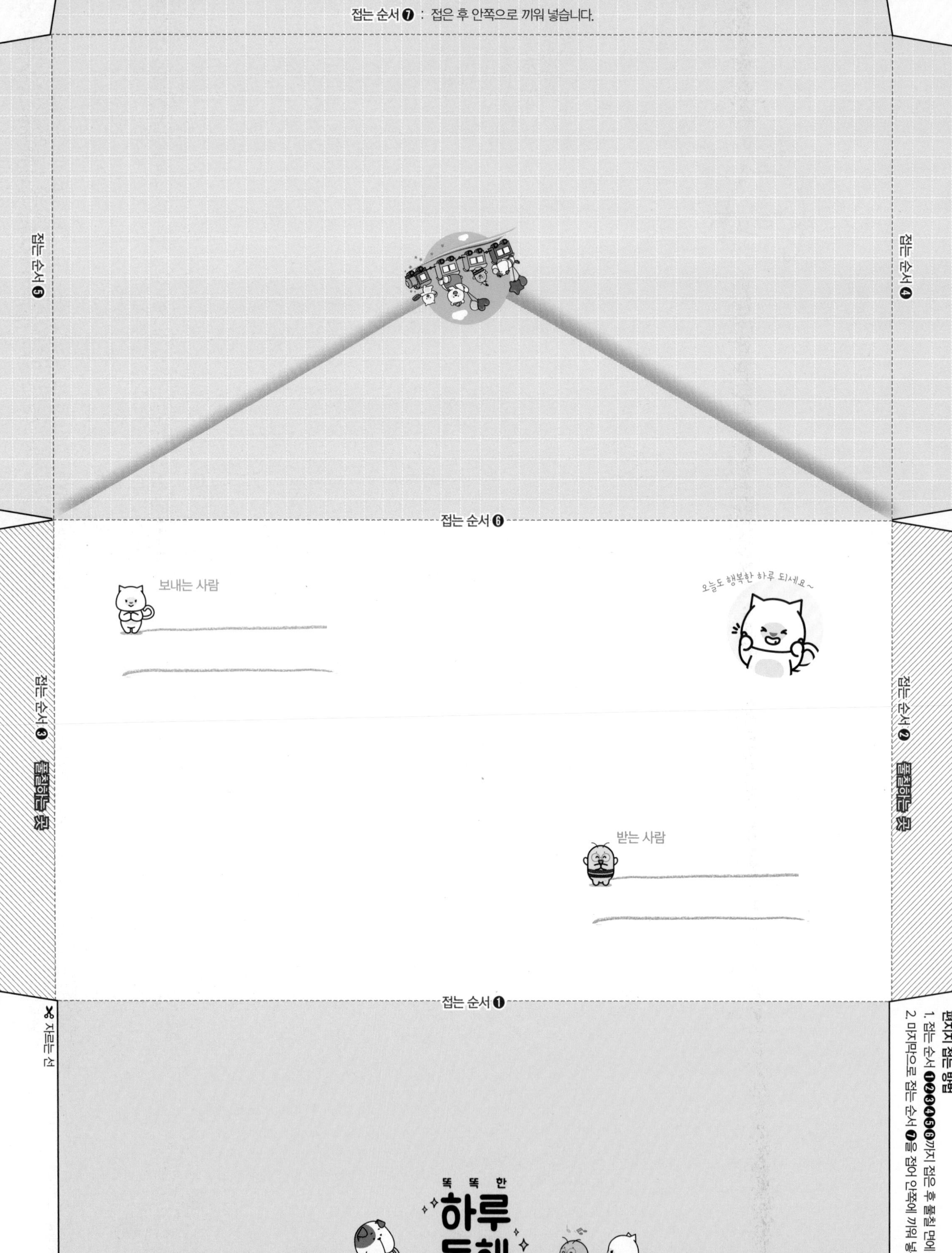

편지지 접는 방법

1. 접는 순서 ❶❷❸❹❺❻까지 접은 후 풀칠 면에 풀칠을 하여 붙입니다.
2. 마지막으로 접는 순서 ❼을 접어 안쪽에 끼워 넣는다.

카드 위쪽의 구멍을 뚫고 묶어서 사용하세요.

부리

물갈퀴

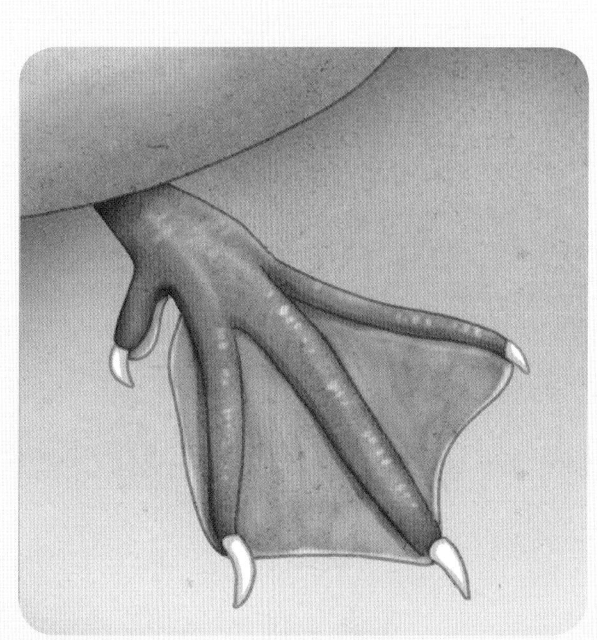

나비

꽃잎

▶ 점선을 따라 접어서 붙여 쓰세요.

카드 위쪽의 구멍을 뚫고 묶어서 사용하세요.

물갈퀴

헤엄을 치는 데 도움이 되는 오리, 개구리 등의 발가락 사이에 있는 얇은 막.

예 오리의 발가락 사이에는 **물갈퀴**가 있어 헤엄을 잘 친다.

부리

단단하고 뾰족한 새의 주둥이.

예 오리는 납작한 **부리**를 가지고 있다.

꽃잎

꽃을 이루고 있는 하나하나의 잎.

예 해바라기의 노란 **꽃잎**이 햇빛을 받아 밝게 빛났다.

나비

가는 몸통에 예쁜 무늬가 있는 넓적한 날개를 가지고 있고 긴 대롱으로 꿀을 빨아 먹으며 사는 곤충.

예 공원에서 **나비**를 보았다.

▲ 점선을 따라 잘라서 들어 쓰세요.

카드 위쪽의 구멍을 뚫고 묶어서 사용하세요.

체조

발꿈치

방귀

생신

▶ 점선을 따라 접어서 돌어 쓰세요.

발꿈치

발의 뒤쪽 발바닥과 발목 사이의 불룩한 부분.

예 오늘 많이 걸어서 **발꿈치**가 아프다.

체조

體	操
몸 **체**	잡을 **조**

일정한 형식에 맞게 몸을 움직임.

예 아침에 일어나서 **체조**를 했다.

생신

生	辰
날 **생**	날 **신**

'생일'을 높여 이르는 말.

예 오늘은 할아버지 **생신**이다.

방귀

몸속에서 똥구멍을 통해 몸 밖으로 나오는 고약한 냄새가 나는 가스.

예 짝꿍이 수업 시간에 **방귀**를 뀌었다.

▲ 점선을 따라 접어서 뜯어 쓰세요.

카드 위쪽의 구멍을 뚫고 묶어서 사용하세요.

외투

개나리

규칙

차례

▶ 점선을 따라 접어서 뜯어 쓰세요.

개나리

이른 봄에 잎이 나오기 전에, 늘어진 긴 가지에 노란 꽃이 다닥다닥 붙어 피는 나무. 또는 그 꽃.

예 봄에 노란 **개나리**가 피었다.

외투

外	套
바깥 **외**	덮개 **투**

추위를 막기 위하여 겉옷 위에 입는 옷을 통틀어 이르는 말.

예 이 검은색 **외투**는 가볍고 따뜻하다.

차례

次	例
버금 **차**	법식 **례**

어떤 일을 하거나 어떤 일이 일어나는 순서.

예 **차례**를 지켜 미끄럼틀을 탔다.

규칙

規	則
법 **규**	법 **칙**

여러 사람이 지키도록 정해 놓은 법칙.

예 미술 작품을 사진 찍으면 안 된다는 **규칙**이 붙어 있었다.

▲ 점선을 따라 접어서 붙여 쓰세요.

카드 위쪽의 구멍을 뚫고 묶어서 사용하세요.

짚

형제

공연

관람

▶ 점선을 따라 접어서 뜯어 쓰세요.

형제

兄	弟
형 **형**	아우 **제**

형과 남동생을 아울러 이르는 말.

예 옆집의 두 **형제**는 사이가 좋다.

짚

벼, 보리, 밀, 조 따위의 이삭을 떨어낸 줄기와 잎.

예 옛날에는 **짚**으로 신발을 만들어 신었다.

관람

觀	覽
볼 **관**	볼 **람**

연극, 영화, 운동 경기, 미술품 따위를 구경함.

예 친구와 극장에서 영화를 **관람**하였다.

공연

음악, 무용, 연극 따위를 많은 사람 앞에서 보이는 일.

예 가수들이 무대에서 **공연**을 하였다.

▲ 점선을 따라 잘라서 쓰세요.

카드 위쪽의 구멍을 뚫고 묶어서 사용하세요.

달걀말이

시금치나물

잠꾸러기

멋쟁이

▶ 점선을 따라 접어서 풀어 쓰세요.

시금치나물

끓는 물에 시금치를 데쳐 양념을 하여 무친 나물.
예 동생은 **시금치나물**을 먹지 않았다.

달걀말이

달걀을 부쳐서 돌돌 말아 놓은 음식.
예 나는 **달걀말이** 반찬을 제일 좋아한다.

멋쟁이

멋있거나 멋을 잘 부리는 사람.
예 우리 이모는 **멋쟁이**이시다.

잠꾸러기

잠을 많이 자는 사람.
예 내 동생은 **잠꾸러기**이다.

▲ 점선을 따라 잘라서 들어 쓰세요.

카드 위쪽의 구멍을 뚫고 묶어서 사용하세요.

스마트폰

궤짝

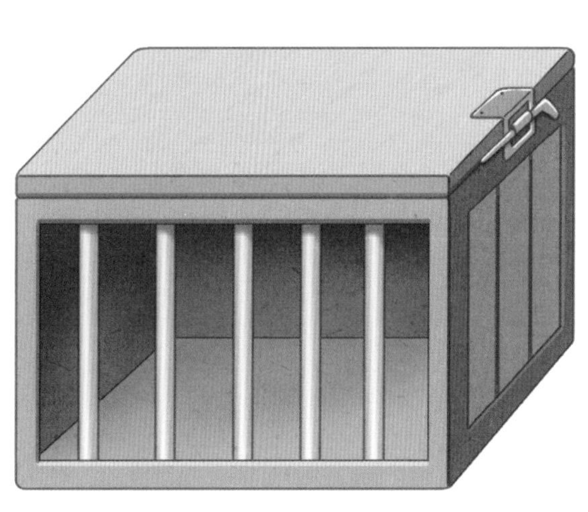

미소

배탈

▶ 점선을 따라 접어서 뜯어 쓰세요.

궤짝

물건을 넣도록 나무로 네모나게 만든 상자.

예 사냥꾼은 호랑이를 잡아 **궤짝**에 넣었다.

스마트폰

휴대 전화에 여러 컴퓨터 지원 기능을 추가한 지능형 단말기.

예 **스마트폰**을 바르게 사용해야 한다.

배탈

먹은 음식이 체하거나 설사를 하거나 배가 아프거나 하는 병.

예 **배탈**이 나서 병원에 갔다.

미소

微	笑
작을 **미**	웃을 **소**

소리 없이 빙긋이 웃는 웃음.

예 부모님께서 아이를 보며 **미소**를 지으셨다.

붙임딱지 ①

10~11쪽

12쪽

20쪽

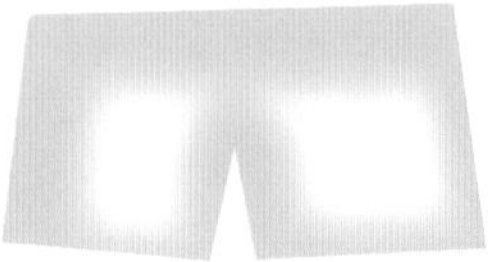

28쪽

37쪽

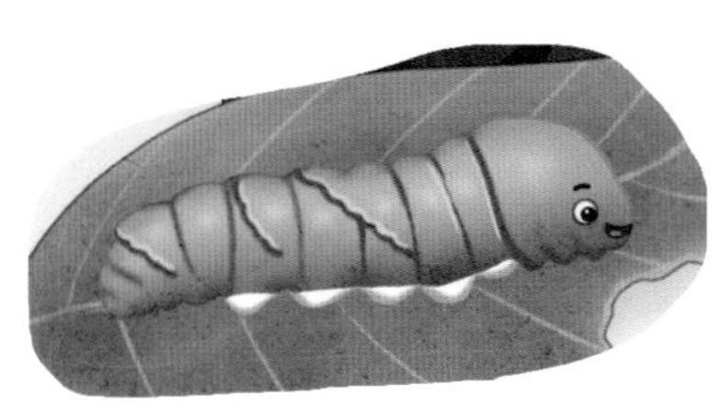

48쪽

56쪽

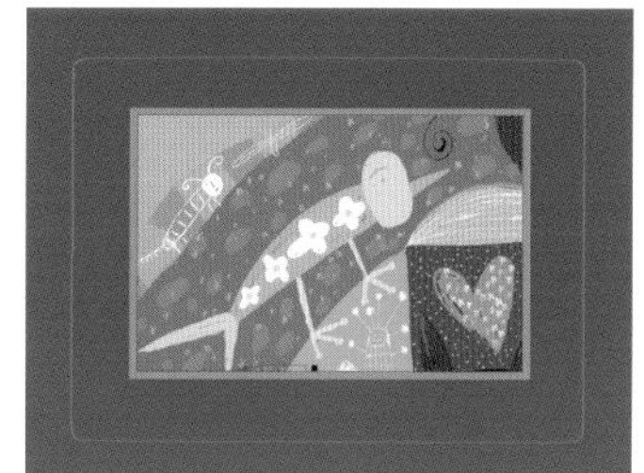

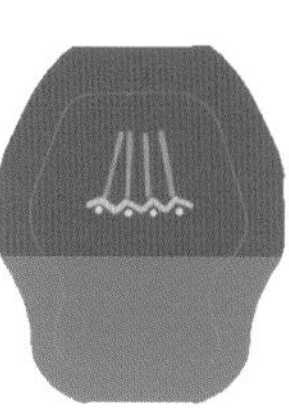

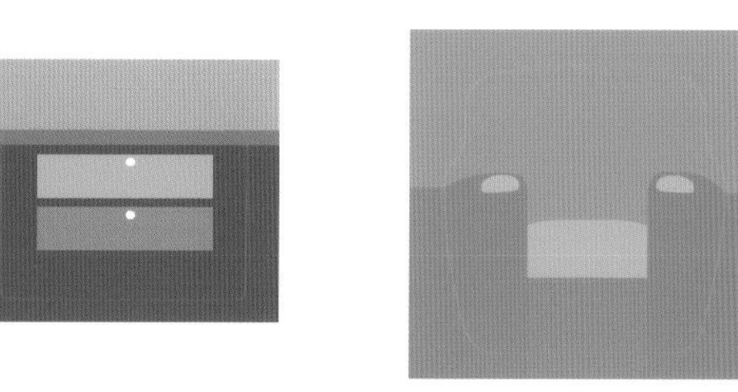

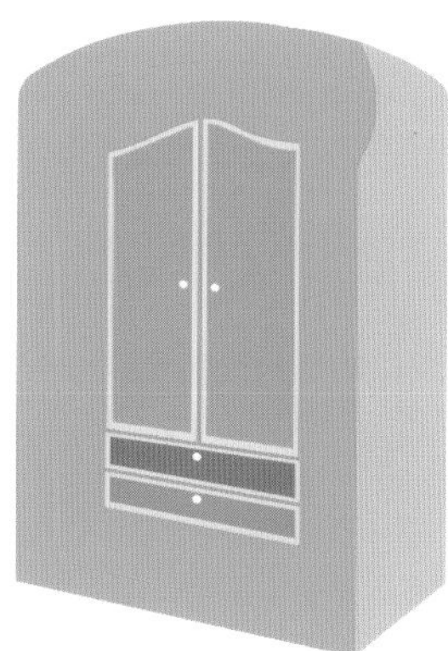

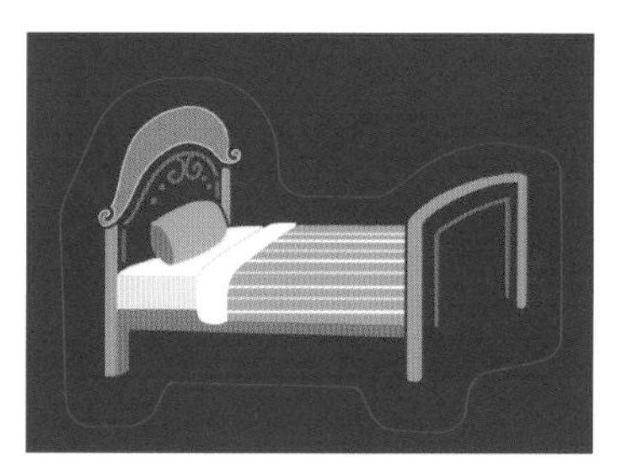

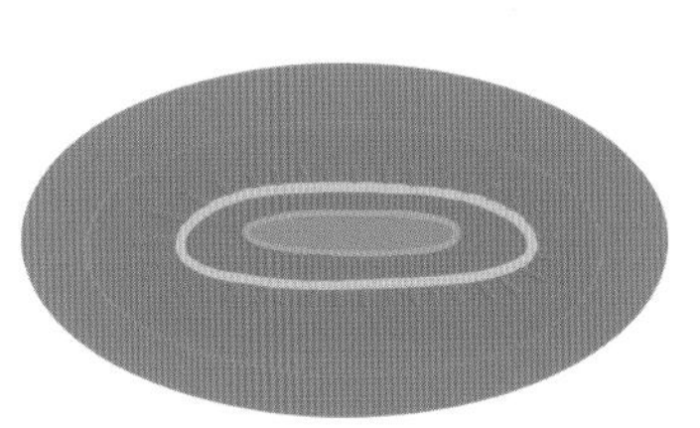

69쪽

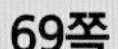

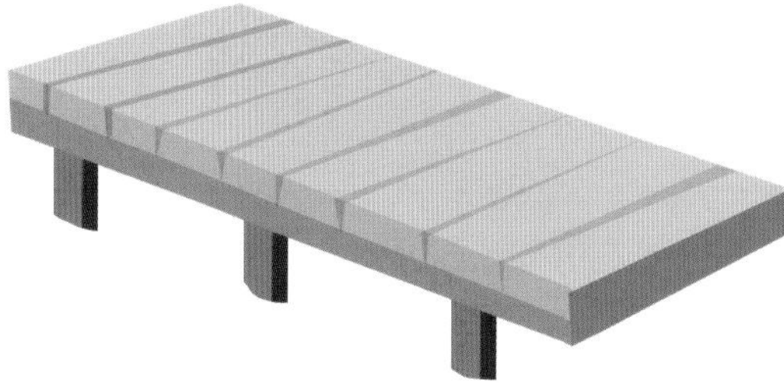

71쪽

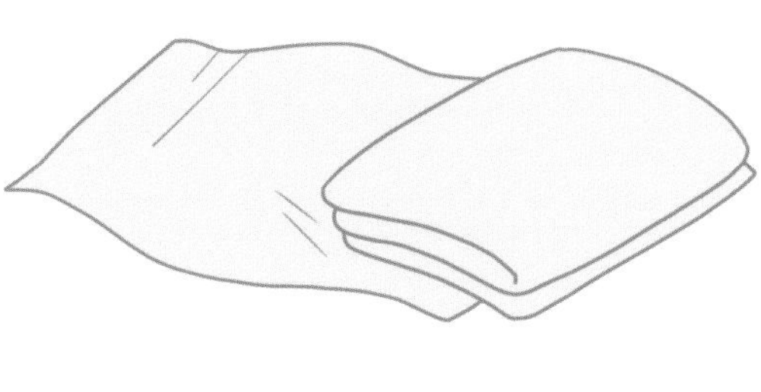

▶ 점선을 따라 접어서 뜯어 쓰세요.

붙임딱지 ③

76쪽

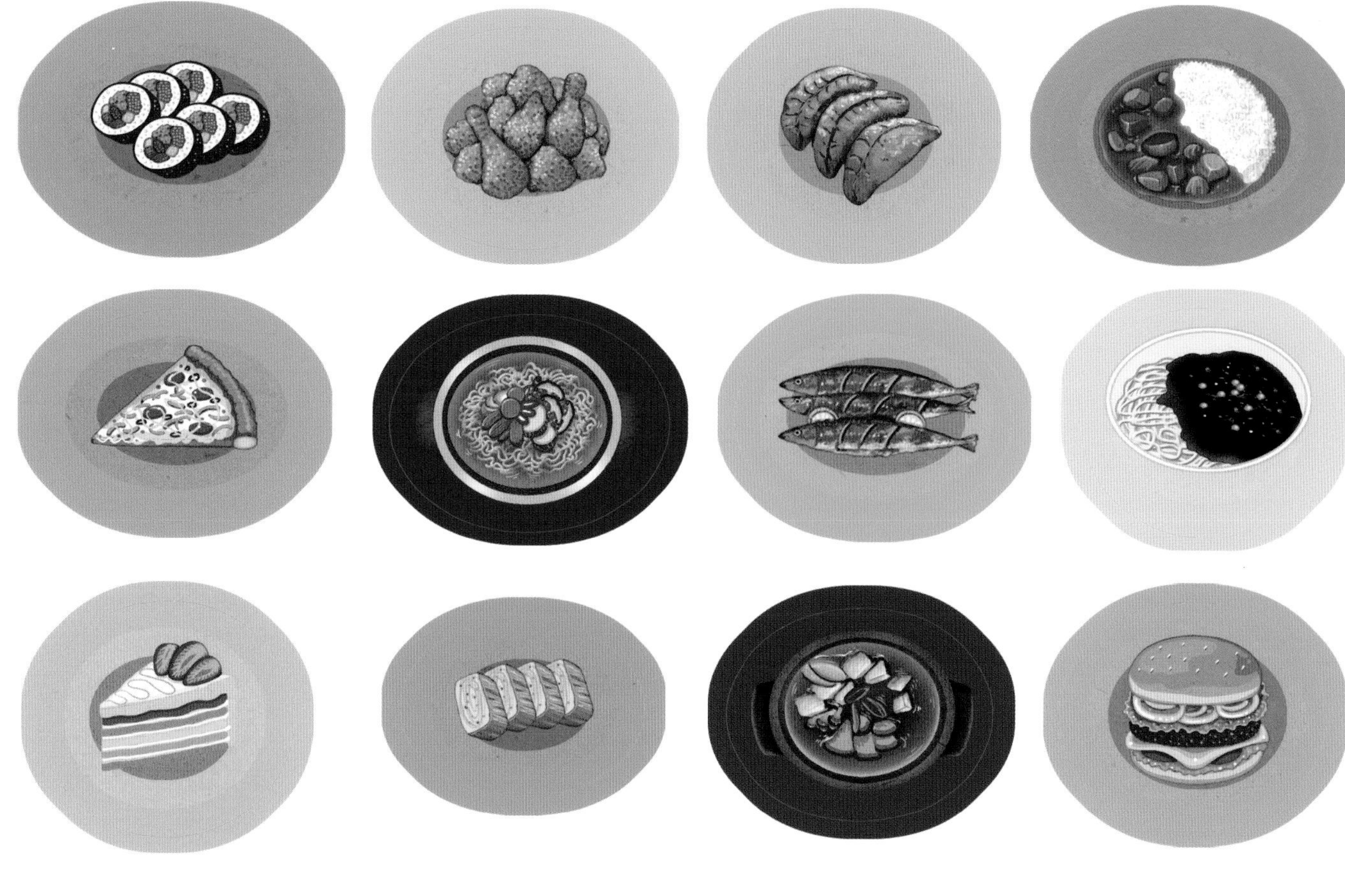

84쪽

▶ 점선을 따라 접어서 뜯어 쓰세요.

92쪽

103쪽

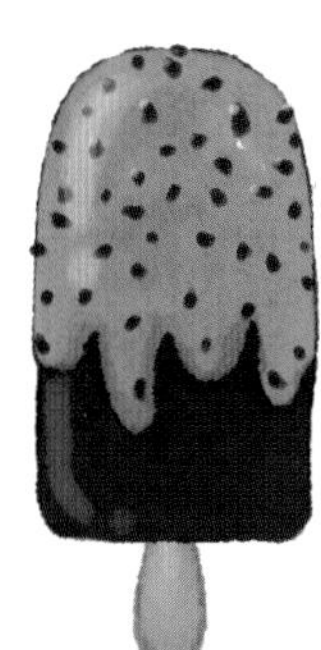
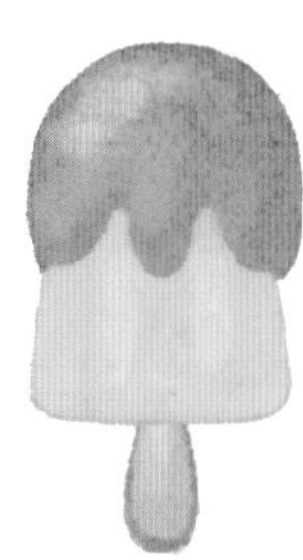

108쪽

▶ 점선을 따라 접어서 뜯어 쓰세요.

스케줄표
붙임딱지

하루 학습이 끝나면 스케줄표에 붙여 보세요!

1주

좋아요	잘했어	멋있어	훌륭해	놀라워	뿌듯해
1일	2일	3일	4일	5일	특강

2주

좋아요	잘했어	멋있어	훌륭해	놀라워	뿌듯해
1일	2일	3일	4일	5일	특강

3주

좋아요	잘했어	멋있어	훌륭해	놀라워	뿌듯해
1일	2일	3일	4일	5일	특강

마무리 학습

좋아요 잘했어 멋있어 훌륭해 놀라워 뿌듯해

필요한 곳에 붙여 보세요!

좋아요 잘했어 멋있어 훌륭해 놀라워 뿌듯해

좋아요 잘했어 멋있어 훌륭해 놀라워 뿌듯해

▶ 점선을 따라 접어서 뜯어 쓰세요.

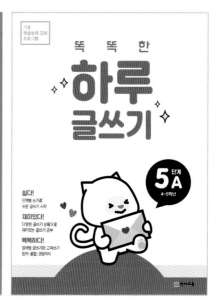

기초
학습능력 강화
프로그램

똑 똑 한

하루 독해

정답

예비초 B

천재교육

똑 똑 한

하루 독해

똑 똑 한

하루 독해

정답

1주 2쪽

2주 10쪽

3주 18쪽

마무리 학습 26쪽

똑똑한 하루 독해
정답

1주 도입
1주
1주에는
무엇을 공부할까? ❶
공부할 내용
1일 나는 누구일까요?
2일 나비야
3일 어린이 체조 방법
4일 방귀 시합
5일 할아버지, 생신 축하해요
오늘은 「어린이 체조 방법」에서 배운 자세로 체조를 할 거예요.
하나, 둘, 셋!
하나, 둘, 셋!
하나, 둘, 셋!
나 누구 같아?
음, 「나비야」에 나오는 나비 같아.
크하하하
샤, 어제 「나는 누구일까요?」를 읽더니 모습만 보고도 잘 맞히는데.
자, 조용히 하고 선생님을 따라 해 보세요.
낑낑
뿌웅
꾸엑
윽, 냄새! 햄은 「방귀 시합」에 나온 방귀쟁이 같아.
내가 방귀쟁이 왕이다!
크크크
와하하
「할아버지, 생신 축하해요」에서 배운 대로 축하하는 카드를 써서 줘야겠군!

10~11쪽

1주
1주에는
무엇을 공부할까? ❷
정답 2쪽
낱말을 따라 쓰며 낱말에 알맞은 그림 붙임딱지를 붙여 보세요.
붙임딱지 1
할아버지
체조
노랑나비
방귀

12~13쪽

*정답 3쪽

1주 1일

말놀이

나는 누구일까요?

똑똑한 하루 독해 미리 보기

다음 동물의 말을 읽고, 누구일지 붙임딱지를 붙여 보세요. 붙임딱지 1

나는 "꽥꽥" 소리를 내며 울고 헤엄을 잘 쳐.

선을 타고 내려가서 그림에 알맞은 낱말을 따라 쓰세요.

나는 헤엄을 잘 쳐!
나는 납작한 부리가 있어.
나는 물갈퀴가 있어.

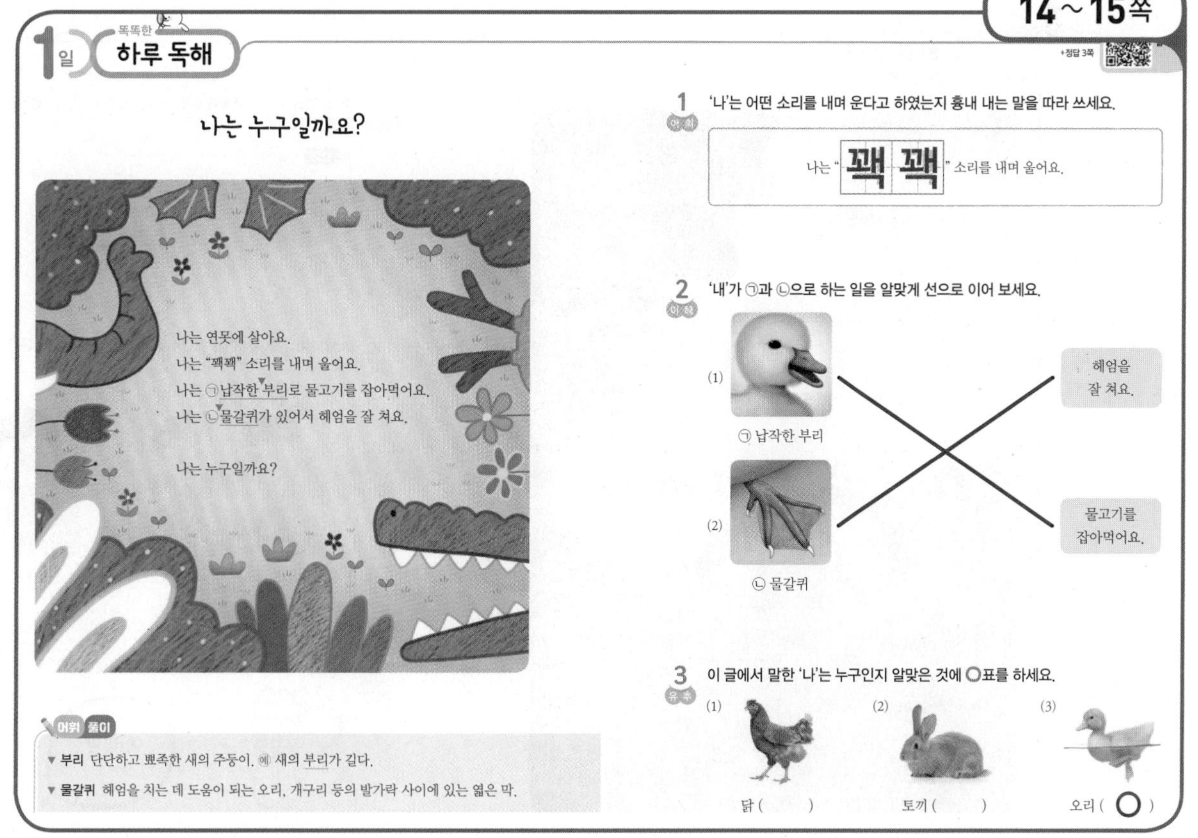

14~15쪽

*정답 3쪽

1일 똑똑한 하루 독해

나는 누구일까요?

나는 연못에 살아요.
나는 "꽥꽥" 소리를 내며 울어요.
나는 ㉠납작한 부리로 물고기를 잡아먹어요.
나는 ㉡물갈퀴가 있어서 헤엄을 잘 쳐요.

나는 누구일까요?

어휘 풀이

▼ **부리** 단단하고 뾰족한 새의 주둥이. 예 새의 부리가 길다.

▼ **물갈퀴** 헤엄을 치는 데 도움이 되는 오리, 개구리 등의 발가락 사이에 있는 엷은 막.

1 (어휘) '나'는 어떤 소리를 내며 운다고 하였는지 흉내 내는 말을 따라 쓰세요.

나는 "꽥꽥" 소리를 내며 울어요.

2 (이해) '내'가 ㉠과 ㉡으로 하는 일을 알맞게 선으로 이어 보세요.

(1) ㉠ 납작한 부리 — 물고기를 잡아먹어요.

(2) ㉡ 물갈퀴 — 헤엄을 잘 쳐요.

3 (추론) 이 글에서 말한 '나'는 누구인지 알맞은 것에 ○표를 하세요.

(1) 닭 ( ) (2) 토끼 ( ) (3) 오리 (○)

1주 2일

16~17쪽

노랫말
나비야
똑똑한 하루 독해 미리 보기
다음 나비를 색칠하여 그림을 완성해 보세요.
나를 예쁜 나비로 만들어 줘.
예
다음 그림을 보고, 낱말을 따라 쓰세요.
날개색이 노란
노랑나비
날개색이 하얀
흰나비

18~19쪽

2일 똑똑한 하루 독해
나비야
나비야 나비야 이리 날아오너라
노랑나비 흰나비 춤을 추며 오너라
봄바람에 꽃잎도 방긋방긋 웃으며
참새도 ㉠ 노래하며 춤춘다
1 이 노랫말에서 누구에게 이리 날아오라고 하였는지 보기에서 알맞은 낱말을 골라 쓰세요.
보기
참새 나비 꽃잎
나비
2 노랑나비와 흰나비에게 어떻게 오라고 하였는지 알맞은 것을 골라 ○표를 하세요.
(1) 춤을 추며 오너라. (○)
(2) 노래를 부르며 오너라. ( )
3 ㉠ 안에 들어갈 알맞은 말을 골라 색칠하세요.
꿀꿀꿀
멍멍멍
짹짹짹

1주 3일

20~21쪽
설명하는 글
어린이 체조 방법
똑똑한 하루 독해 미리 보기
체조를 할 때 입는 옷과 신는 신발 붙임딱지를 알맞게 붙여 보세요.
편한 운동복을 입고 운동화를 신어야 해.
다음 그림을 보고, 낱말을 따라 쓰세요.
우리 몸에도 다 이름이 있어.
우리 몸의 이름을 알아볼까?
허리
무릎
발꿈치

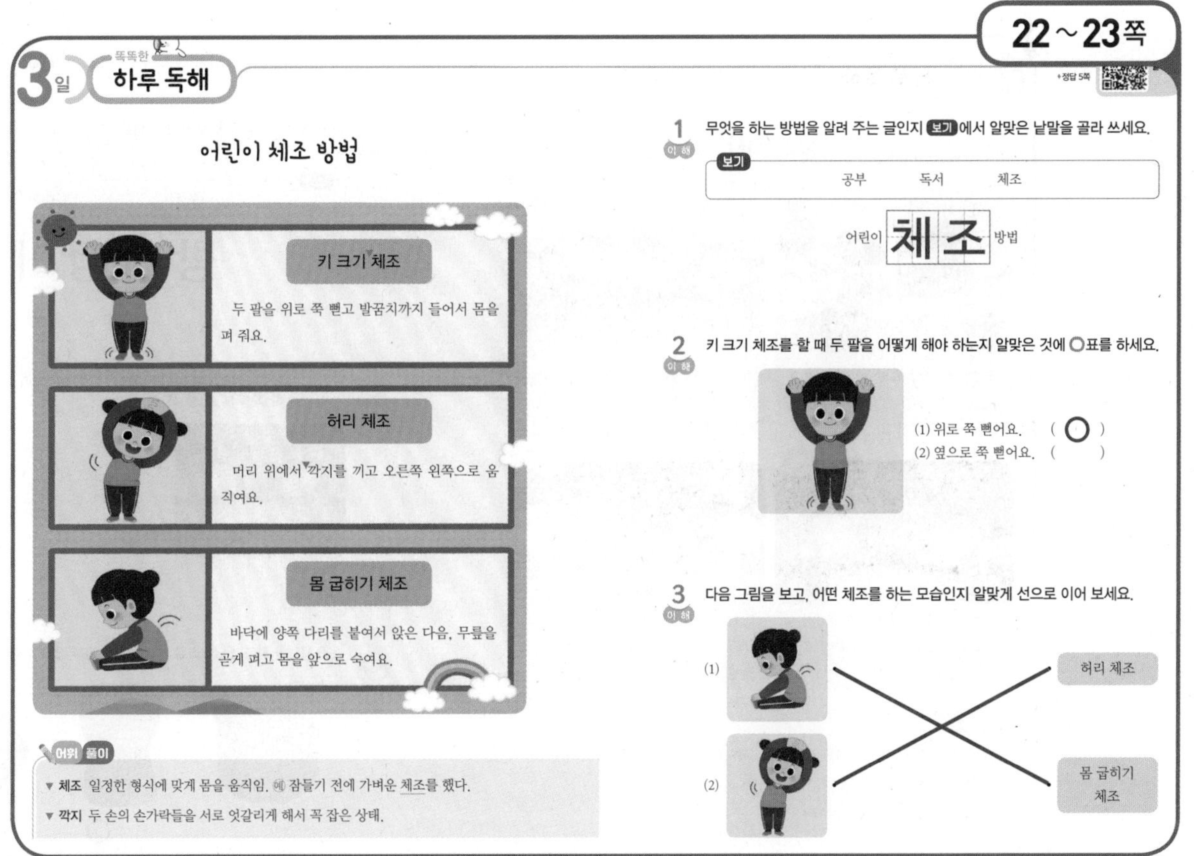

22~23쪽
3일 똑똑한 하루 독해
어린이 체조 방법
키 크기 체조
두 팔을 위로 쭉 뻗고 발꿈치까지 들어서 몸을 펴 줘요.
허리 체조
머리 위에서 깍지를 끼고 오른쪽 왼쪽으로 움직여요.
몸 굽히기 체조
바닥에 양쪽 다리를 붙여서 앉은 다음, 무릎을 곧게 펴고 몸을 앞으로 숙여요.
어휘 풀이
▼ 체조 일정한 형식에 맞게 몸을 움직임. 예 잠들기 전에 가벼운 체조를 했다.
▼ 깍지 두 손의 손가락들을 서로 엇갈리게 해서 꼭 잡은 상태.
1 무엇을 하는 방법을 알려 주는 글인지 보기에서 알맞은 낱말을 골라 쓰세요.
보기 공부 독서 체조
어린이 체조 방법
2 키 크기 체조를 할 때 두 팔을 어떻게 해야 하는지 알맞은 것에 ○표를 하세요.
(1) 위로 쭉 뻗어요. (○)
(2) 옆으로 쭉 뻗어요. ( )
3 다음 그림을 보고, 어떤 체조를 하는 모습인지 알맞게 선으로 이어 보세요.
(1)
(2)
허리 체조
몸 굽히기 체조

정답

1주 4일

4일 이야기 방귀 시합

24~25쪽

+정답 6쪽

똑똑한 하루 독해 미리 보기

다음은 「방귀 시합」의 한 장면이에요. 빨래를 색칠하여 그림을 완성해 보세요.

다음 그림을 보고, 낱말을 따라 쓰세요.

26~27쪽

+정답 6쪽

4일 똑똑한 하루 독해

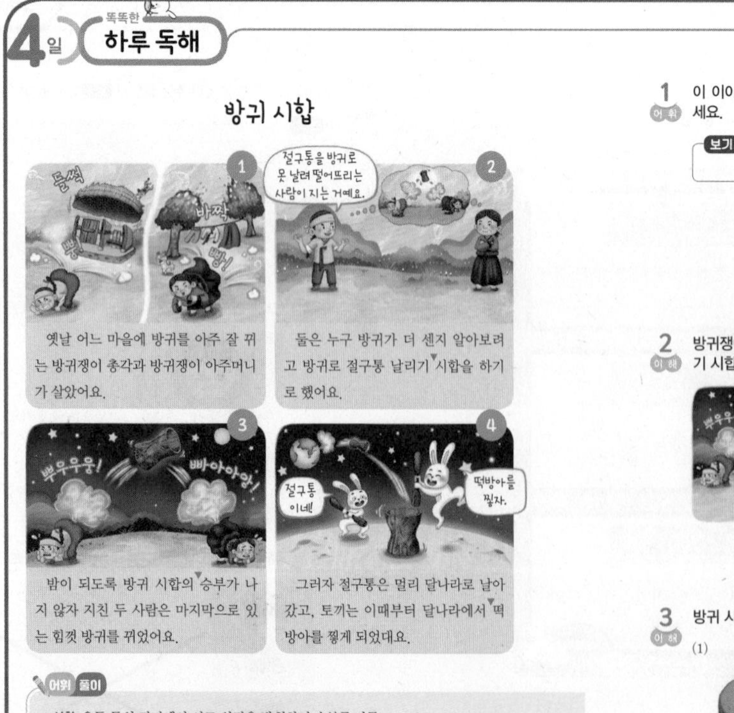

1 옛날 어느 마을에 방귀를 아주 잘 뀌는 방귀쟁이 총각과 방귀쟁이 아주머니가 살았어요.

2 둘은 누구 방귀가 더 센지 알아보려고 방귀로 절구통 날리기 시합을 하기로 했어요.

3 밤이 되도록 방귀 시합의 승부가 나지 않자 지친 두 사람은 마지막으로 있는 힘껏 방귀를 뀌었어요.

4 그러자 절구통은 멀리 달나라로 날아갔고, 토끼는 이때부터 달나라에서 떡방아를 찧게 되었대요.

어휘 풀이

- 시합 운동 등의 경기에서 서로 실력을 발휘하여 승부를 겨룸.
- 승부 이김과 짐. 예 마지막 경기의 승부가 나다.
- 떡방아 떡을 만들 쌀을 방아로 빻는 일.

1 (어휘) 이 이야기에서 방귀를 잘 뀌는 사람을 무엇이라고 했는지 보기에서 골라 쓰세요.

보기: 개구쟁이 방귀쟁이

방귀쟁이

2 (이해) 방귀쟁이 총각과 방귀쟁이 아주머니는 무엇을 알아보려고 방귀로 절구통 날리기 시합을 하였는지 ○표를 하세요.

(1) 누구 방귀가 더 센가? (○)
(2) 누구 방귀 냄새가 더 지독한가? ( )

3 (이해) 방귀 시합을 하다가 달나라로 날려 보낸 것은 무엇인지 ○표를 하세요.

(1) 맷돌 ( ) (2) 절구통 (○) (3) 가마솥 ( )

1주 5일

28 ~ 29쪽

카드

할아버지, 생신 축하해요

똑똑한 하루 독해 미리 보기

다음 케이크에 자신의 나이만큼 촛불 붙임딱지를 붙여 보세요.
예
나는 일곱 살이야. 너는 몇 살이니?
다음 그림을 보고, 낱말을 따라 쓰세요.
서율아, 생일을 축하해.
할아버지, 생신을 축하해요.

30 ~ 31쪽

5일 똑똑한 하루 독해

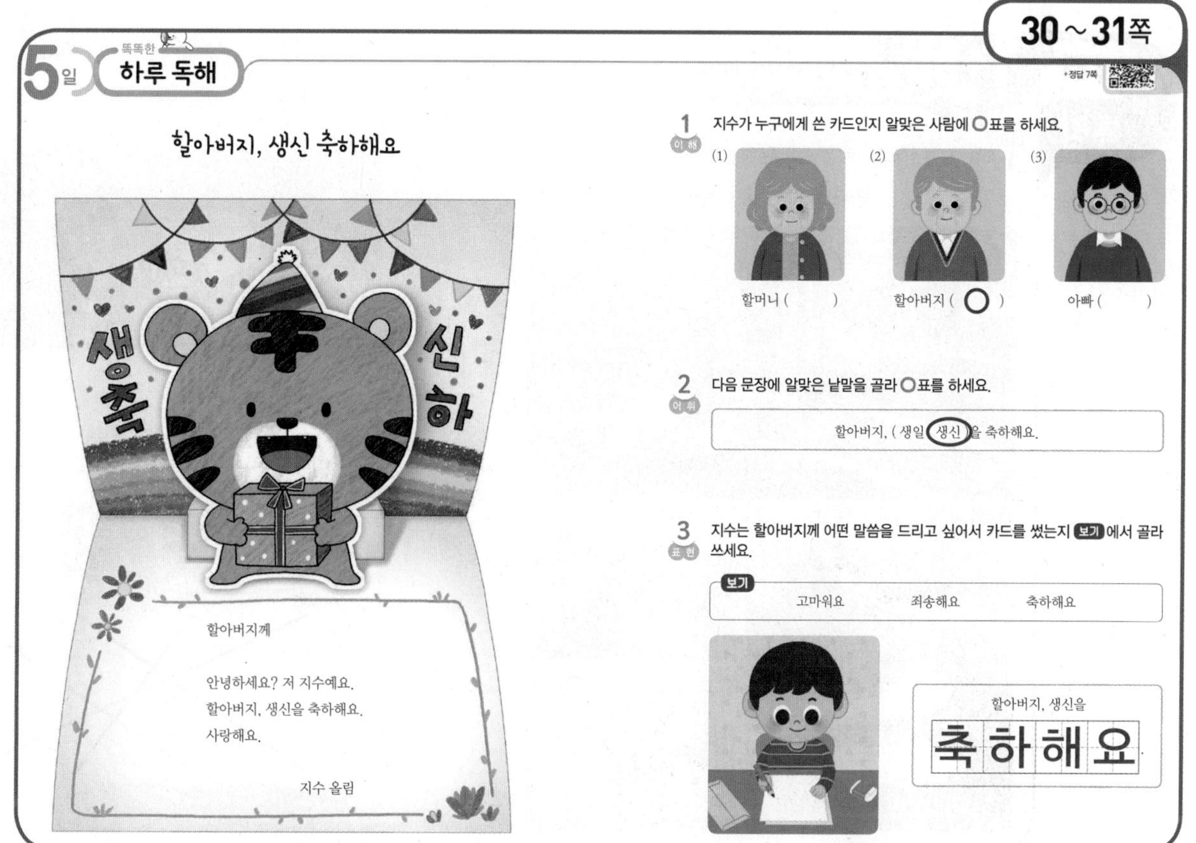

1 지수가 누구에게 쓴 카드인지 알맞은 사람에 ○표를 하세요.

(1) 할머니 ( ) (2) 할아버지 (○) (3) 아빠 ( )

2 다음 문장에 알맞은 낱말을 골라 ○표를 하세요.

할아버지, (생일 생신)을 축하해요.

3 지수는 할아버지께 어떤 말씀을 드리고 싶어서 카드를 썼는지 보기에서 골라 쓰세요.

보기: 고마워요 죄송해요 축하해요

할아버지, 생신을 축하해요

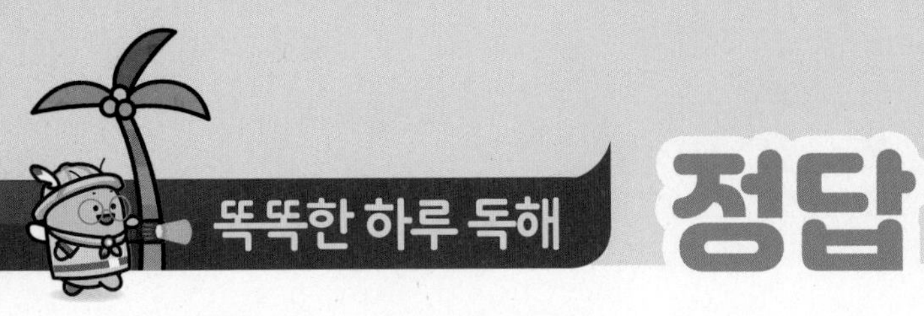

똑똑한 하루 독해 정답

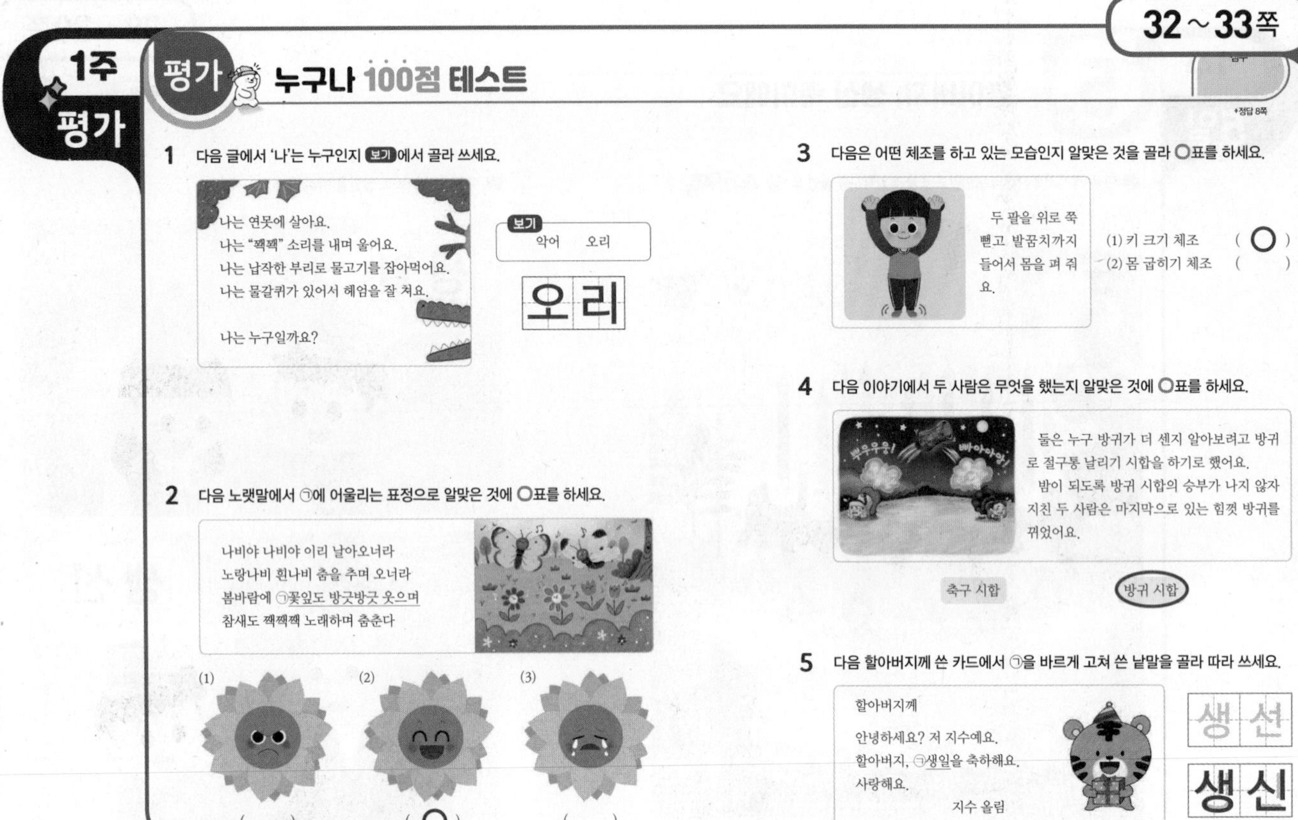

32~33쪽

1주 평가

평가 누구나 100점 테스트

1 다음 글에서 '나'는 누구인지 보기 에서 골라 쓰세요.

나는 연못에 살아요.
나는 "꽥꽥" 소리를 내며 울어요.
나는 납작한 부리로 물고기를 잡아먹어요.
나는 물갈퀴가 있어서 헤엄을 잘 쳐요.

나는 누구일까요?

보기: 악어 오리

오리

2 다음 노랫말에서 ㉠에 어울리는 표정으로 알맞은 것에 ○표를 하세요.

나비야 나비야 이리 날아오너라
노랑나비 흰나비 춤을 추며 오너라
봄바람에 ㉠꽃잎도 방긋방긋 웃으며
참새도 짹짹짹 노래하며 춤춘다

(1) ( ) (2) (○) (3) ( )

3 다음은 어떤 체조를 하고 있는 모습인지 알맞은 것을 골라 ○표를 하세요.

두 팔을 위로 쭉 뻗고 발끝치까지 들어서 몸을 펴 줘요.

(1) 키 크기 체조 (○)
(2) 몸 굽히기 체조 ( )

4 다음 이야기에서 두 사람은 무엇을 했는지 알맞은 것에 ○표를 하세요.

둘은 누구 방귀가 더 센지 알아보려고 방귀로 절구통 날리기 시합을 하기로 했어요.
밤이 되도록 방귀 시합의 승부가 나지 않자 지친 두 사람은 마지막으로 있는 힘껏 방귀를 뀌었어요.

축구 시합 / 방귀 시합 (○)

5 다음 할아버지께 쓴 카드에서 ㉠을 바르게 고쳐 쓴 낱말을 골라 따라 쓰세요.

할아버지께

안녕하세요? 저 지수예요.
할아버지, ㉠생일을 축하해요.
사랑해요.
지수 올림

생선 / 생신

34~35쪽

1주 특강

1주 특강 창의·융합·코딩 ①

1 다음 만화를 읽고, 달리기 경기에서 들어온 순서대로 선을 이으세요.

순서를 나타내는 낱말

어휘 퀴즈

샥 – 넷째
해 – 셋째
뿡 – 첫째
별 – 둘째

1주 특강 창의·융합·코딩 ②

36~37쪽

정답 9쪽

창의

2 「나는 누구일까요?」의 내용을 떠올리며 바르게 쓴 낱말을 찾아 모두 색칠해 보세요.

융합

3 노랫말 「나비야」의 내용을 떠올리며 나비의 한살이를 알아볼까요? 설명에 알맞은 붙임딱지를 붙여 보세요. 붙임딱지 1

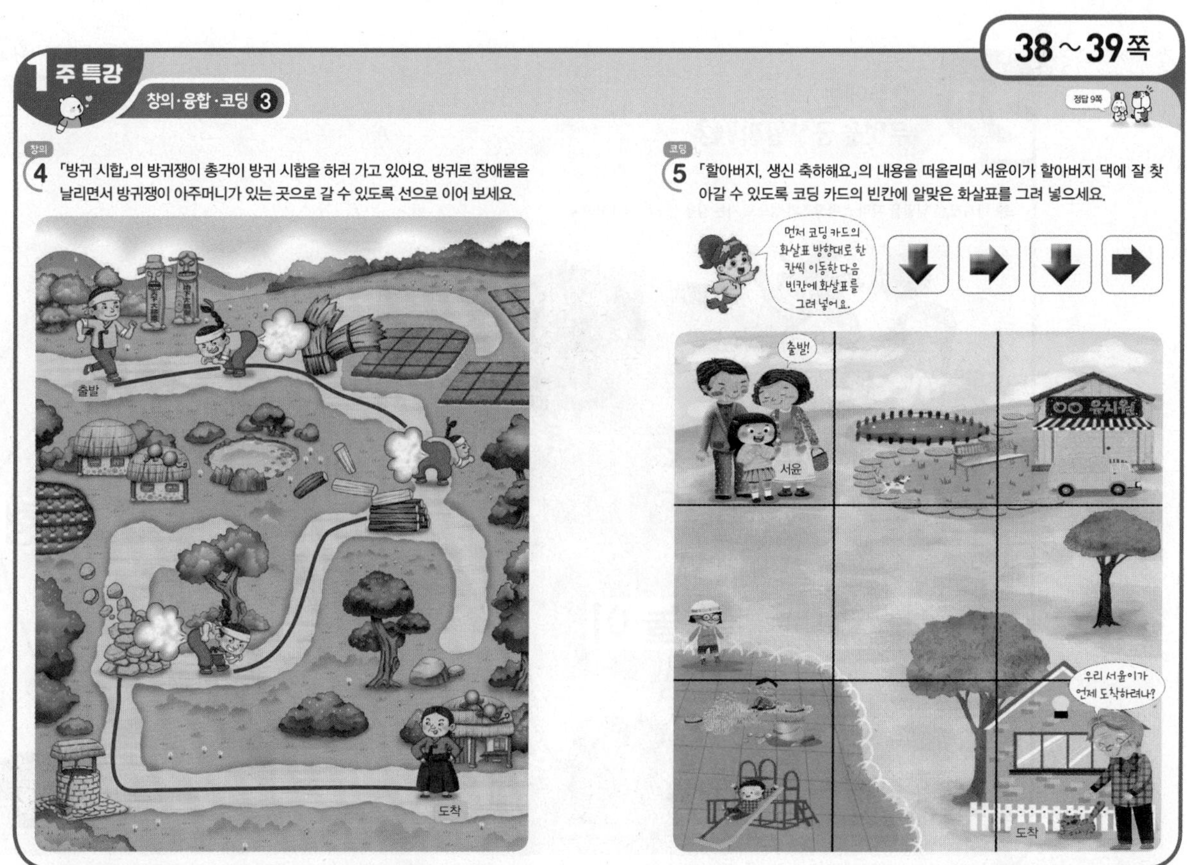

1주 특강 창의·융합·코딩 ③

38~39쪽

정답 9쪽

창의

4 「방귀 시합」의 방귀쟁이 총각이 방귀 시합을 하러 가고 있어요. 방귀로 장애물을 날리면서 방귀쟁이 아주머니가 있는 곳으로 갈 수 있도록 선으로 이어 보세요.

코딩

5 「할아버지, 생신 축하해요」의 내용을 떠올리며 서윤이가 할아버지 댁에 잘 찾아갈 수 있도록 코딩 카드의 빈칸에 알맞은 화살표를 그려 넣으세요.

2주 도입

2주
도입
2주
2주에는
무엇을 공부할까? ❶
공부할 내용
1일 여름과 겨울을 보내요
2일 '리' 자로 끝나는 말
3일 규칙을 지켜요
4일 아기 돼지 삼 형제
5일 공연을 보아요
도서관
짜잔!
얘들아, 나 왔어! 「여름과 겨울을 보내요」를 읽고 목도리 샀는데, 어때?
목도리에 달린 병아리가 정말 귀엽다!
우왕~!
목도리도 병아리도 다 '리' 자로 끝나네?
그러게~.
어제 유치원에서 배운 「'리' 자로 끝나는 말」 노래가 생각나!
어, 얘들아! 이야기로 읽었던 「아기 돼지 삼 형제」를 공연으로 한대.
아기 돼지 삼 형제
「공연을 보아요」와 같은 공연 안내문이잖아? 우리 보러 가자!
좋아! 다음 주에 하는구나.
벌써부터 정말 기대돼! 만세…… 앗, 내 책!
휘릭~!
헴! 「규칙을 지켜요」 안 읽었니? 도서관에서 빌린 책인데 소중히 다뤄야지!
버럭~!
뿜, 먹물 조심해! 네 먹물이 책에 튀겠어!
으악~!
다들 못 말려….

42~43쪽

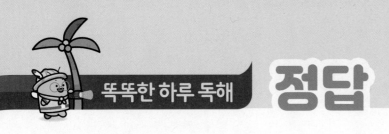

2주
2주에는
무엇을 공부할까? ❷
정답 10쪽
바르게 쓴 낱말을 따라 쓰며 오즈의 성으로 가는 길을 선으로 이어 보세요.
출발!
형재
차례
형제
물노리
물놀이
차레
도착!

2주 1일

1일 설명하는 글

여름과 겨울을 보내요

44~45쪽

정답 11쪽

똑똑한 하루 독해 미리 보기

친구가 어떤 옷을 입고 나가면 좋을지 알맞은 옷을 3개 골라 ○표를 하세요.

다음 그림을 보고, 낱말을 따라 쓰세요.

46~47쪽

1일 똑똑한 하루 독해

정답 11쪽

여름과 겨울을 보내요

여름에는 더워서 땀이 뻘뻘 나요.
시원한 반팔과 반바지를 입어요.
겨울에는 추워서 몸이 덜덜 떨려요.
따뜻한 외투를 입고, 목도리를 둘러요.
여름에는 물놀이를 하고, 겨울에는 눈놀이를 해요.

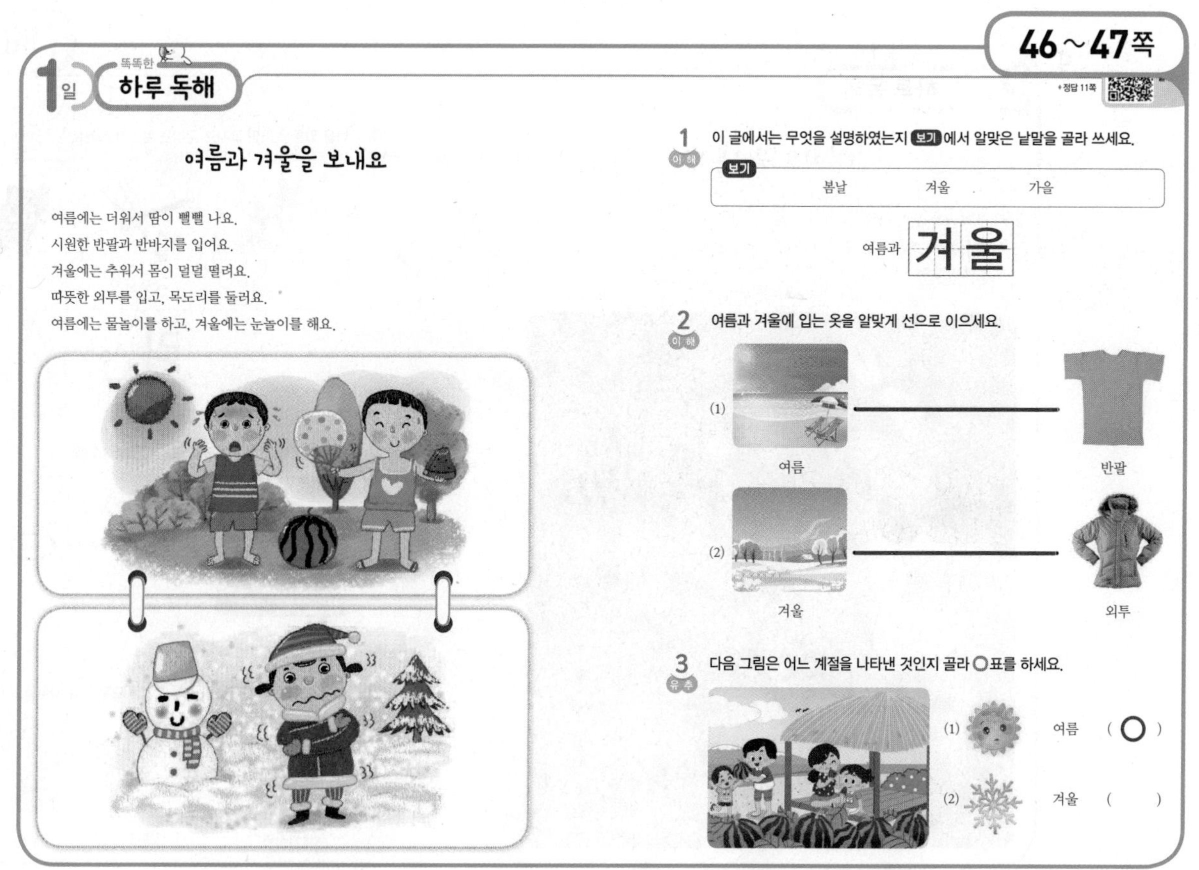

1 이해 이 글에서는 무엇을 설명하였는지 보기에서 알맞은 낱말을 골라 쓰세요.

보기: 봄날 겨울 가을

여름과 겨울

2 이해 여름과 겨울에 입는 옷을 알맞게 선으로 이으세요.

(1) 여름 — 반팔

(2) 겨울 — 외투

3 유추 다음 그림은 어느 계절을 나타낸 것인지 골라 ○표를 하세요.

(1) 여름 (○)

(2) 겨울 ( )

똑똑한 하루 독해
정답

48~49쪽
2주
2일
2일
노랫말
'리' 자로 끝나는 말
하루 독해 미리 보기
다음 그림을 보고, '리' 자로 끝나는 말을 알아보며 그림에 알맞은 붙임딱지를 각각 붙여 보세요.
나는 항아리 위에서 피리 부는 개구리!
나는 요리하는 너구리! 체리로 파이를 만들 거야.
사다리를 타고 내려가서 그림에 알맞은 낱말을 따라 쓰세요.
병아리
물방개
개나리
올챙이
잠자리
민들레

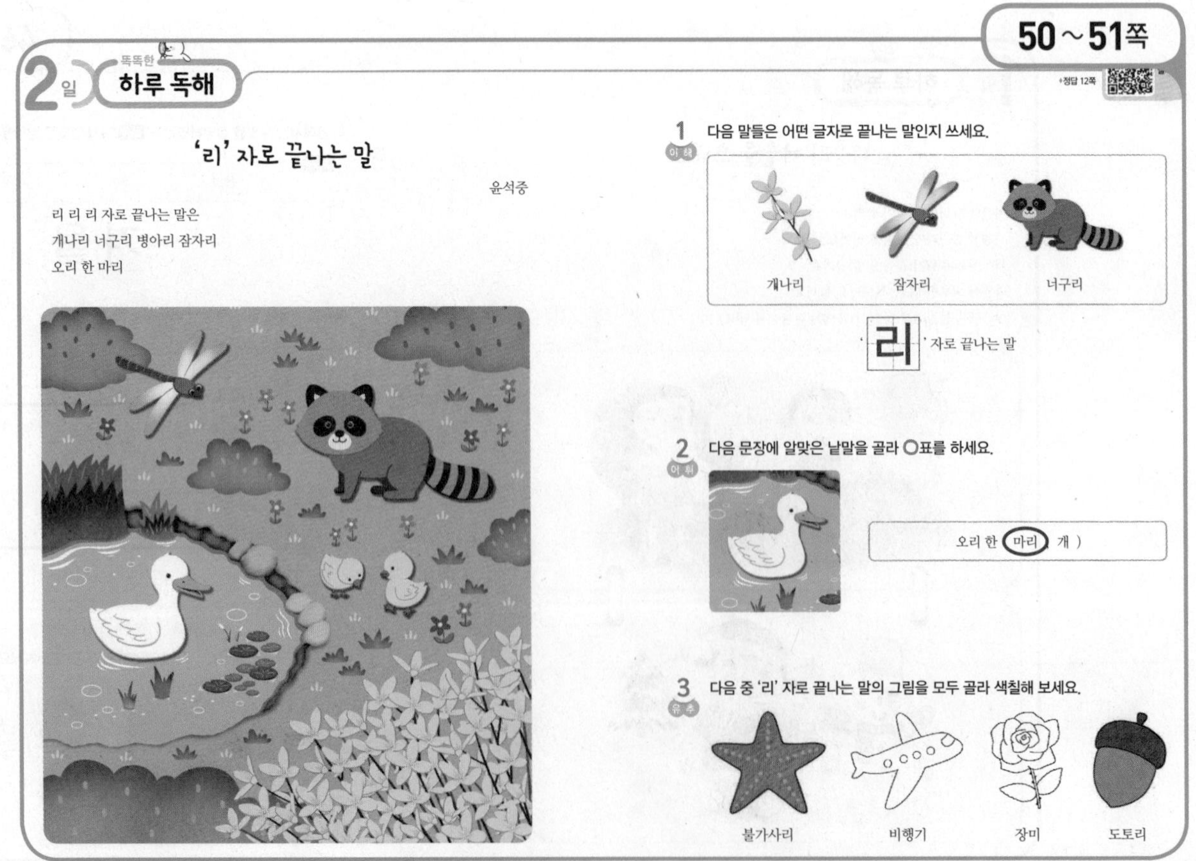
50~51쪽
2일 똑똑한 하루 독해
'리' 자로 끝나는 말
윤석중
리 리 리 자로 끝나는 말은
개나리 너구리 병아리 잠자리
오리 한 마리
1 다음 말들은 어떤 글자로 끝나는 말인지 쓰세요.
개나리
잠자리
너구리
'리' 자로 끝나는 말
2 다음 문장에 알맞은 낱말을 골라 ○표를 하세요.
오리 한 (마리 개)
3 다음 중 '리' 자로 끝나는 말의 그림을 모두 골라 색칠해 보세요.
불가사리
비행기
장미
도토리

2주 3일

3일 주장하는 글

규칙을 지켜요

52~53쪽

*정답 13쪽

똑똑한 하루 독해 미리 보기

차례를 잘 지켜 줄을 선 그림을 골라 그림의 솜사탕을 색칠해 보세요.

다음 그림을 보고, 낱말을 따라 쓰세요.

54~55쪽

*정답 13쪽

3일 똑똑한 하루 독해

규칙을 지켜요

우리 모두 규칙을 지켜요.
줄을 설 때에는 차례를 잘 지켜 줄을 서요.
횡단보도에서는 초록불일 때에만 길을 건너요.
도서관에서는 크게 떠들거나 뛰어다니지 않아요.
모두의 얼굴에 웃음꽃이 가득 피도록 규칙을 잘 지켜요.

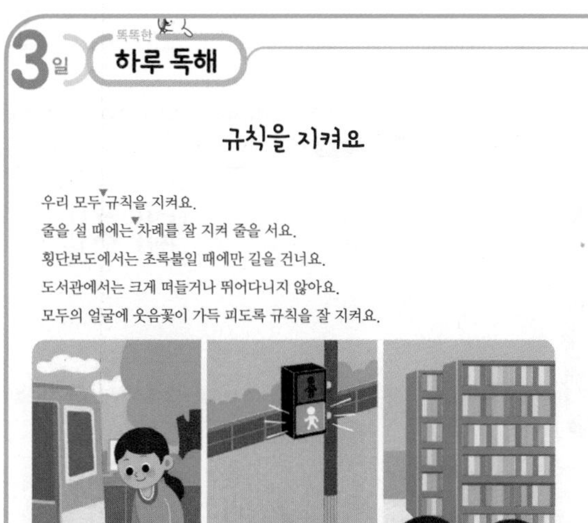

어휘 풀이

▼ **규칙** 여러 사람이 지키도록 정해 놓은 법칙.
예 게임은 게임 규칙을 잘 지켜야 재미있게 할 수 있다.

▼ **차례** 어떤 일을 하거나 어떤 일이 일어나는 순서.
예 아이들은 줄을 선 차례대로 버스에 탔다.

1 이해 이 글에서는 무엇을 지키자고 했는지 보기 에서 알맞은 낱말을 골라 쓰세요.

보기: 건강 규칙 시간

규칙을 지켜요.

2 이해 횡단보도를 건널 때에 지켜야 할 규칙에 알맞게 선을 이으세요.

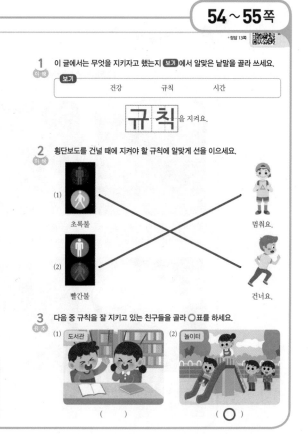

(1) 초록불 — 건너요.
(2) 빨간불 — 멈춰요.

3 유추 다음 중 규칙을 잘 지키고 있는 친구들을 골라 ○표를 하세요.

(1) 도서관 ( )
(2) 놀이터 (○)

2주 4일

4일 이야기
아기 돼지 삼 형제

56~57쪽

+정답 14쪽

똑똑한 하루 독해 미리 보기

붙임딱지를 붙여 아기 돼지의 벽돌집 이 층을 마음껏 꾸며 보세요. 붙임딱지

길을 따라가서 아기 돼지들이 어떤 집을 지었는지 낱말을 따라 쓰세요.

58~59쪽

4일 똑똑한 하루 독해

+정답 14쪽

1 배고픈 늑대는 아기 돼지 삼 형제를 잡아먹기로 했어요.

2 짚으로 빨리빨리 지은 첫째 돼지의 집은 늑대가 '후!' 불자 날아가 버렸어요.

3 나무로 대충대충 지은 둘째 돼지의 집도 늑대가 '후!' 불자 부서졌지요.

4 하지만 벽돌로 튼튼히 지은 셋째 돼지의 집은 늑대가 부수지 못했고 결국 늑대는 포기하고 돌아갔어요.

1 (이해) 늑대는 누구를 잡아먹으려고 했는지 보기에서 알맞은 낱말을 골라 쓰세요.

보기: 염소 참새 돼지

아기 **돼지** 삼 형제

2 (어휘) 다음 문장에 들어갈 낱말을 바르게 쓴 것을 골라 ○표를 하세요.

나무로 (대충대충(○), 대층대층) 지은 둘째 돼지의 집도 늑대가 '후!' 불자 부서졌지요.

3 (이해) 다음 중 늑대가 부수지 못한 집에 ✕표를 하세요.

(1) 짚으로 지은 집 ( )
(2) 나무로 지은 집 ( )
(3) 벽돌로 지은 집 (✕)

2주 5일

5일 안내하는 글
공연을 보아요

60~61쪽
정답 15쪽
똑똑한 하루 독해 미리 보기

다음 그림에서 빈 곳을 색칠하여 그림을 완성하세요.

예
토끼야, 기다려!
뮤지컬 이상한 나라의 앨리스
20○○년 9월 23일(토) 저녁 7시
천재예술극장에서 만나요!

다음 그림을 보고, 낱말을 따라 쓰세요.

62~63쪽
정답 15쪽

5일 똑똑한 하루 독해

공연을 보아요

뮤지컬 이상한 나라의 앨리스
신기한 토끼를 따라 이상한 나라에 도착한 앨리스!
앨리스에게 어떤 모험이 펼쳐질까요?

공연 날짜와 시간: 20○○년 9월 23일 토요일 저녁 7시
공연 장소: 천재예술극장
관람 요금: 만 원
※ 3세부터 관람할 수 있습니다.
※ 인터넷으로 예약할 수 있습니다.

어휘 풀이
- **관람** 연극, 영화, 운동 경기, 미술품 따위를 구경함. 예 극장에서 영화를 관람했다.
- **요금** 시설을 쓰거나 구경을 하는 값으로 내는 돈. 예 카드로 버스 요금을 냈다.

1 이 글은 무엇에 대해 알려 주고 있는지 보기에서 알맞은 낱말을 골라 쓰세요. (이해)

보기: 대회 공연 학원

「이상한 나라의 앨리스」 공연

2 이 공연을 보려면 얼마를 내야 하는지 골라 ○표를 하세요. (이해)

(1) 천 원( ) (2) 오천 원( ) (3) 만 원(○)

3 다음 중 이 공연을 볼 수 없는 사람에게 ✕표를 하세요. (추론)

(1) 1살(✕) (2) 7살( ) (3) 12살( )

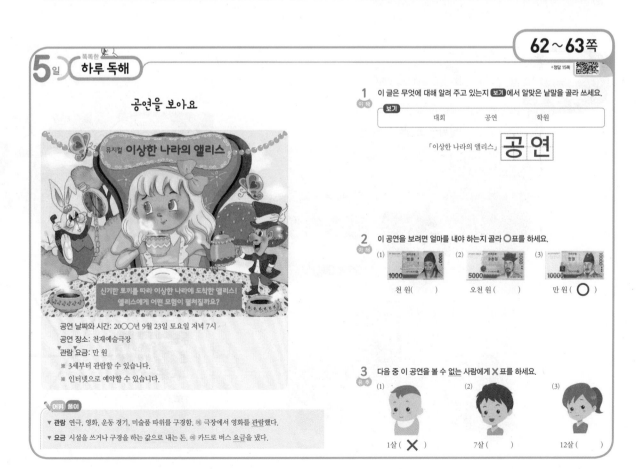

똑똑한 하루 독해
정답

64~65쪽

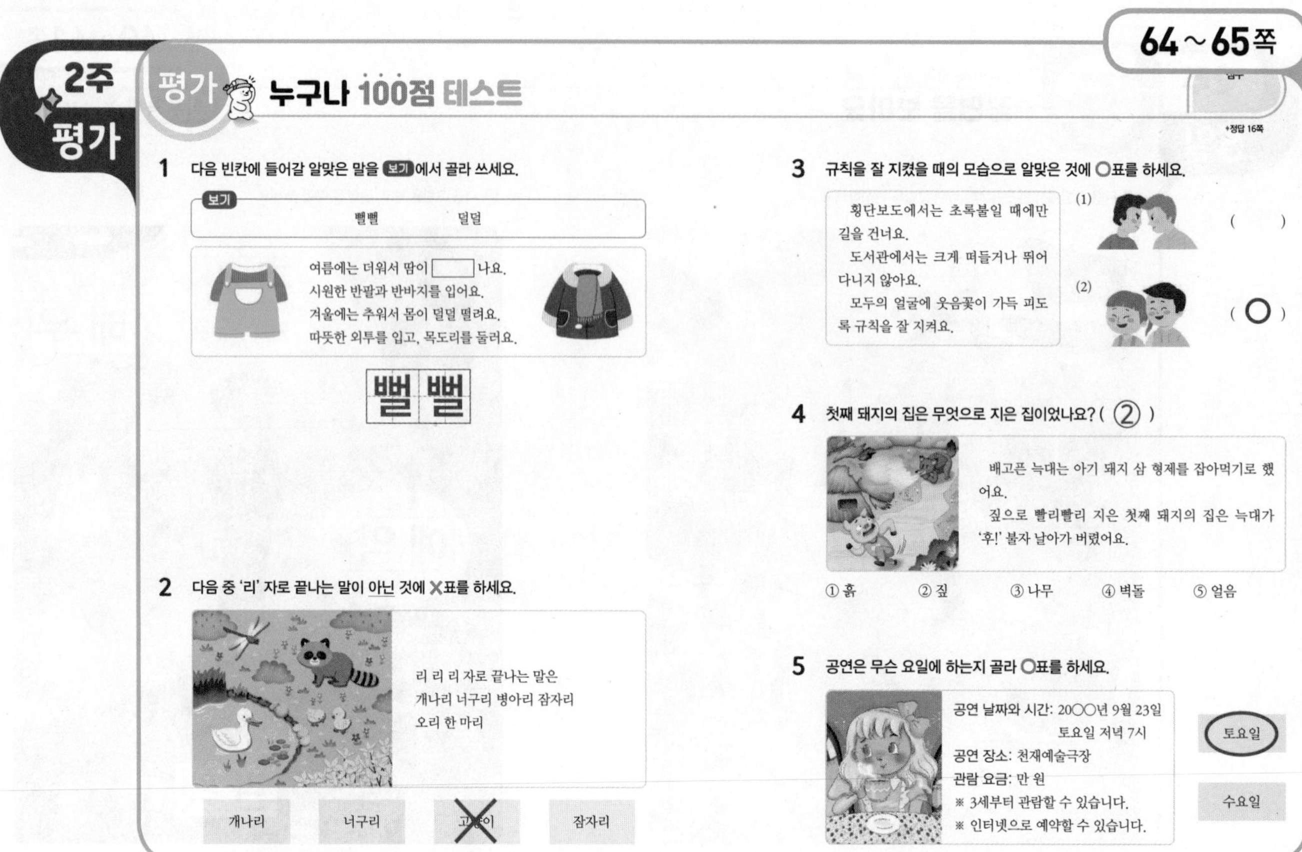

2주 평가
평가 누구나 100점 테스트
정답 16쪽
1 다음 빈칸에 들어갈 알맞은 말을 보기에서 골라 쓰세요.
보기
뻘뻘 덜덜
여름에는 더워서 땀이 [ ] 나요.
시원한 반팔과 반바지를 입어요.
겨울에는 추워서 몸이 덜덜 떨려요.
따뜻한 외투를 입고, 목도리를 둘러요.
뻘뻘
2 다음 중 '리' 자로 끝나는 말이 아닌 것에 ✕표를 하세요.
리 리 리 자로 끝나는 말은
개나리 너구리 병아리 잠자리
오리 한 마리
개나리
너구리
고양이
잠자리
3 규칙을 잘 지켰을 때의 모습으로 알맞은 것에 ○표를 하세요.
횡단보도에서는 초록불일 때에만 길을 건너요.
도서관에서는 크게 떠들거나 뛰어다니지 않아요.
모두의 얼굴에 웃음꽃이 가득 피도록 규칙을 잘 지켜요.
(1) ( )
(2) (○)
4 첫째 돼지의 집은 무엇으로 지은 집이었나요? (②)
배고픈 늑대는 아기 돼지 삼 형제를 잡아먹기로 했어요.
짚으로 빨리빨리 지은 첫째 돼지의 집은 늑대가 '후!' 불자 날아가 버렸어요.
① 흙 ② 짚 ③ 나무 ④ 벽돌 ⑤ 얼음
5 공연은 무슨 요일에 하는지 골라 ○표를 하세요.
공연 날짜와 시간: 20○○년 9월 23일 토요일 저녁 7시
공연 장소: 천재예술극장
관람 요금: 만 원
※ 3세부터 관람할 수 있습니다.
※ 인터넷으로 예약할 수 있습니다.
토요일
수요일

66~67쪽

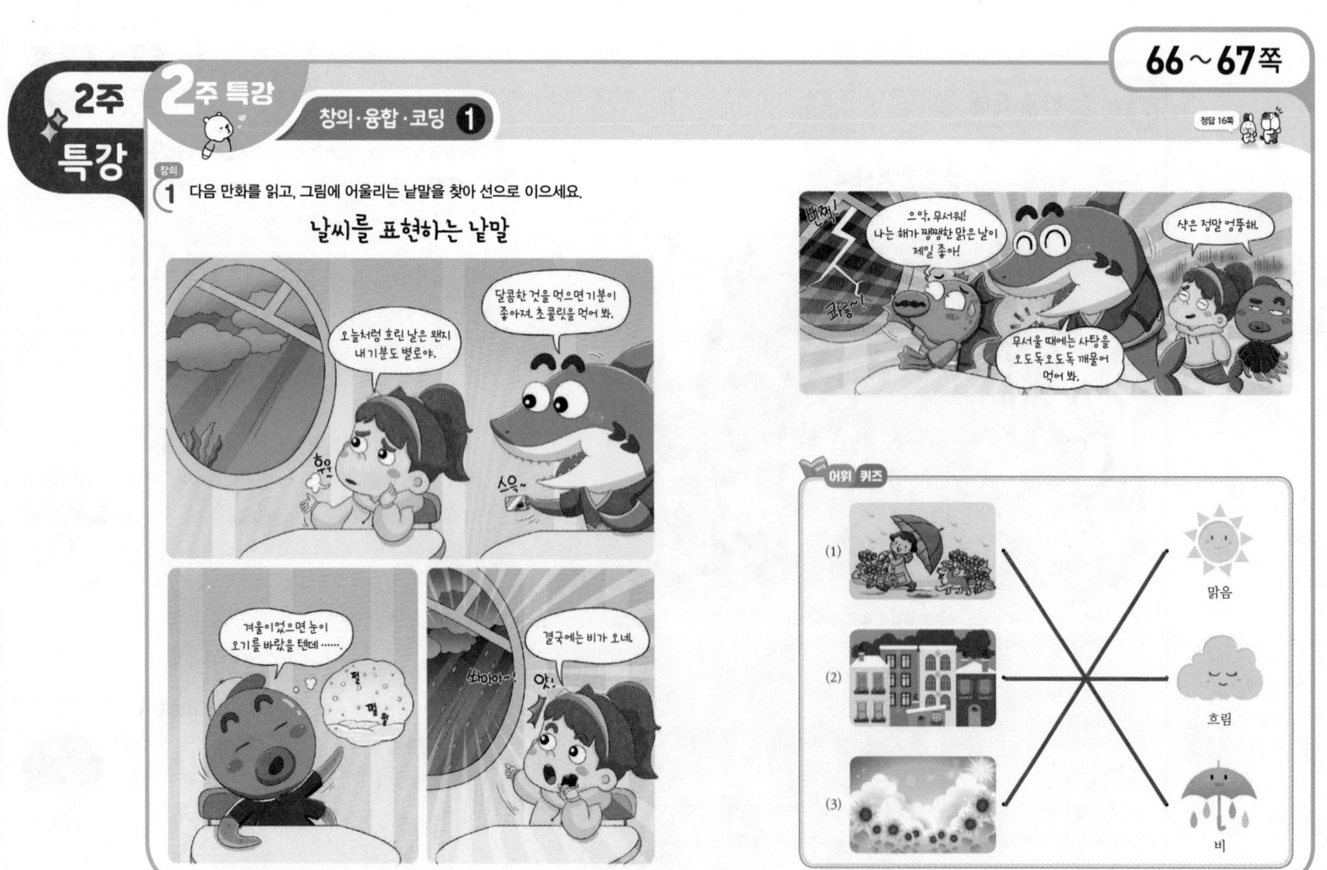

2주 특강
2주 특강 창의·융합·코딩 1
정답 16쪽
창의
1 다음 만화를 읽고, 그림에 어울리는 낱말을 찾아 선으로 이으세요.
날씨를 표현하는 낱말
오늘처럼 흐린 날은 왠지 내 기분도 별로야.
달콤한 것을 먹으면 기분이 좋아져. 초콜릿을 먹어 봐.
후우
스윽
겨울이었으면 눈이 오기를 바랐을 텐데……
펄 펄
결국에는 비가 오네.
쏴아아~!
앗!
번쩍!
콰광!
으악, 무서워! 나는 해가 쨍쨍한 맑은 날이 제일 좋아!
샥은 정말 엉뚱해.
무서울 때에는 사탕을 오도독오도독 깨물어 먹어 봐.
어휘 퀴즈
(1)
(2)
(3)
맑음
흐림
비

68~69쪽
2주 특강
창의·융합·코딩 2
정답 17쪽
코딩
2 「여름과 겨울을 보내요」의 내용을 떠올리며 코딩 카드에 따라 이동해 보고, 친구가 입은 옷으로 알맞은 것에 ○표를 하세요.
코딩 카드의 화살표 방향대로 한 칸씩 이동하세요!
여름이니까 시원한 옷을 입을래.
출발
창의
3 「'리' 자로 끝나는 말」의 내용을 떠올리며 사람들의 문제를 해결하기 위해 필요한 물건을 찾아 아래쪽 그림에 붙임딱지를 붙여 보세요.
붙임딱지 2
쌀을 담아 놓고 싶은데……
개울을 건너가고 싶어.
참외를 떨어뜨릴까 봐 걱정돼.
그래, 이 항아리에 담아 두면되겠군.
이야, 다리가 있으니 좋다.
소쿠리가 있으니 참외를 들고 다니기 편하구나.

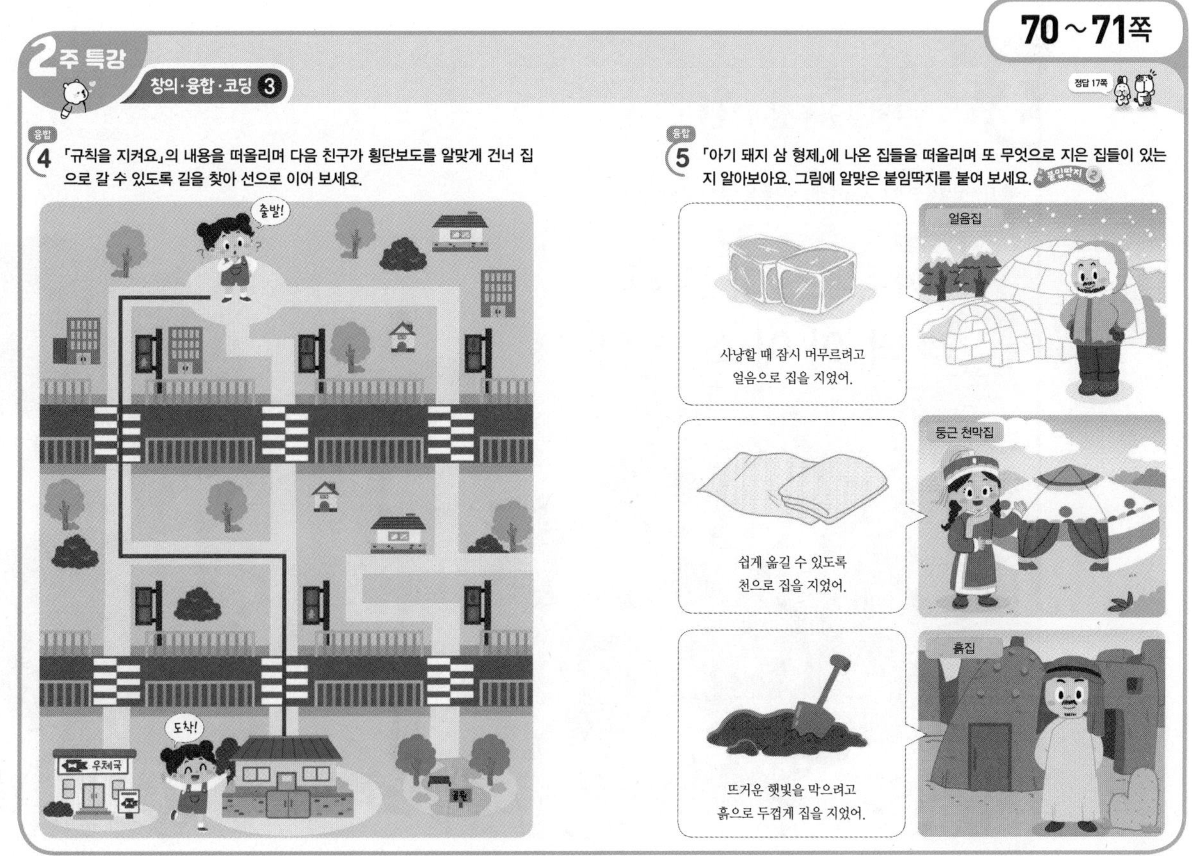
70~71쪽
2주 특강
창의·융합·코딩 3
정답 17쪽
융합
4 「규칙을 지켜요」의 내용을 떠올리며 다음 친구가 횡단보도를 알맞게 건너 집으로 갈 수 있도록 길을 찾아 선으로 이어 보세요.
출발!
도착!
우체국
융합
5 「아기 돼지 삼 형제」에 나온 집들을 떠올리며 또 무엇으로 지은 집들이 있는지 알아보아요. 그림에 알맞은 붙임딱지를 붙여 보세요.
붙임딱지 2
얼음집
사냥할 때 잠시 머무르려고 얼음으로 집을 지었어.
둥근 천막집
쉽게 옮길 수 있도록 천으로 집을 지었어.
흙집
뜨거운 햇빛을 막으려고 흙으로 두껍게 집을 지었어.

똑똑한 하루 독해
정답

3주 도입
3주
3주에는
무엇을 공부할까? ❶
공부할 내용
1일 골고루 맛있게 냠냠
2일 여우야 여우야 뭐 하니
3일 스마트폰 바르게 사용하기
4일 토끼의 재판
5일 구름 아이스크림
햄, 바르게 앉아서 봐야지.
「구름 아이스크림」 광고를 보니 아이스크림 먹고 싶다.
어제 배운 「스마트폰 바르게 사용하기」에서도 바르게 앉아서 보라고 했어요.
기특해라~.
얘들아, 점심 먹자. 「골고루 맛있게 냠냠」에 나오는 것처럼 골고루 먹으면 아이스크림 줄게.
네~!
샥은 아이스크림 못 먹겠네. 골고루 먹어야지.
응?
그럼 너는 「여우야 여우야 뭐 하니」에 나오는 개구리 반찬도 먹을 수 있어?
샥은 엉뚱한 소리도 잘해.
잠시 후
음, 어떤 맛을 먹을까? 「토끼의 재판」에 나오는 토끼에게 물어볼 수도 없고…….
내가 다 먹어 보고 알려 줄게.
크크크….
혼자 다 가져가면 어떡해!
으아~!
샥샥
샥

74~75쪽
3주
3주에는
무엇을 공부할까? ❷
정답 18쪽
다음 낱말을 따라 쓰고, 숨어 있는 그림을 모두 찾아 ○표를 하세요.
숨어 있는 그림
여우 스마트폰
궤짝 아이스크림

1일 주장하는 글

골고루 맛있게 냠냠

76~77쪽

+정답 19쪽

똑똑한 하루 독해 미리 보기

다음 상 위에 자신이 좋아하는 음식 붙임딱지를 붙여 보세요. 붙임딱지 ③

다음 그림을 보고, 낱말을 따라 쓰세요.

우리 몸에 좋은 채소 사세요.

보라색 가지

주황색 당근

초록색 시금치

78~79쪽

+정답 19쪽

골고루 맛있게 냠냠

빨간색 김치도 맛있게 냠냠
노란색 달걀말이도 맛있게 냠냠
초록색 시금치나물도 맛있게 냠냠
노릇노릇 생선구이도 맛있게 냠냠
우리 모두 음식을 골고루 맛있게 냠냠 먹어요.

1 (이해) 다음 음식의 색깔은 어떠하다고 하였는지 각각 선으로 이으세요.

(1) 달걀말이 — 노란색

(2) 시금치나물 — 초록색

2 (어휘) 음식을 맛있게 먹는 소리나 모양을 흉내 내는 말을 보기에서 골라 쓰세요.

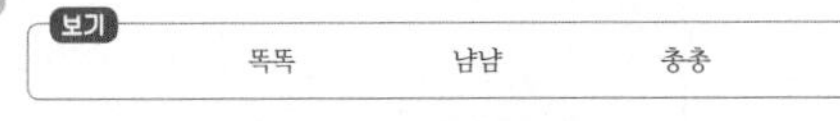

냠냠

3 (이해) 이 글에서는 무엇을 하자고 하였는지 알맞은 것에 ○표를 하세요.

(1)

책을 열심히 읽어요. (   )

(2)

음식을 골고루 먹어요. (○)

80~81쪽

3주 2일

2일
노랫말
여우야 여우야 뭐 하니
모자와 남방을 색칠하여 그림을 완성해 보세요.
예쁜 남방을 입고, 멋진 모자를 쓰니까 예쁜이가 되었네!
예
사다리를 타고 내려가서 알맞게 쓴 낱말을 따라 쓰세요.
쿨쿨 잠자는 나는 잠꾸러기!
뽀득뽀득 세수하는 나는 멋쟁이!
예쁜 옷을 입는 나는 예쁜이!
멋장이
잠꾸러기
예쁜이
멋쟁이
잠구러기
얘쁜이

82~83쪽

2일 똑똑한 하루 독해
여우야 여우야 뭐 하니
여우야 여우야 뭐 하니
잠잔다 잠꾸러기
여우야 여우야 뭐 하니
세수한다 멋쟁이
여우야 여우야 뭐 하니
옷 입는다 예쁜이
여우야 여우야 뭐 하니
밥 먹는다 무슨 반찬
개구리 반찬
죽었니 살았니
살았다
1 이 노랫말에서 무엇을 하는지 대답하는 동물을 골라 색칠해 보세요.
개구리
여우
다람쥐
2 세수하는 여우에게 무엇이라고 말했는지 낱말을 따라 쓰세요.
여우야 여우야 뭐 하니
세수한다
멋쟁이
3 이 노랫말에서 여우가 하는 일이 아닌 것에 ✕표를 하세요.
(1) 노래 부르기 (✕)
(2) 밥 먹기 ( )
(3) 옷 입기 ( )

3주 3일

설명하는 글

스마트폰 바르게 사용하기

스마트폰 케이스에 붙임딱지를 붙여 예쁘게 꾸며 보세요. 붙임딱지 ③

다음 그림을 보고, 낱말을 따라 쓰세요.

3일 똑똑한 하루 독해

스마트폰 바르게 사용하기

고개를 너무 숙이지 않고 바르게 앉아서 사용해요.

부모님과 약속한 시간만큼만 사용해요.

눈이 나빠질 수 있으니 어두운 곳에서 사용하면 안 돼요.

걸어 다닐 때나 밥을 먹을 때 사용하면 안 돼요.

1 이 글은 무엇에 대해 알려 주고 있는지 낱말을 따라 쓰세요.

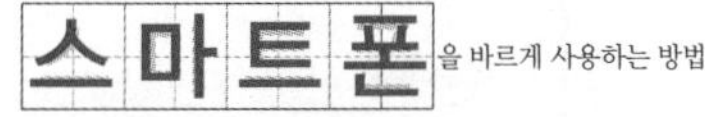

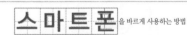

스마트폰을 바르게 사용하는 방법

2 어두운 곳에서 스마트폰을 사용하면 어떻게 될 수 있다고 하였는지 알맞은 것에 ○표를 하세요.

(1) 감기에 걸릴 수 있어요. (   )
(2) 눈이 나빠질 수 있어요. (○)

3 다음 중 스마트폰을 바르게 사용하고 있는 그림을 골라 ○표를 하세요.

(1)  (   )

(2)  (○)

(3)  (   )

정답

88~89쪽

* 정답 22쪽

똑똑한 하루 독해 미리 보기

3주 4일

연극의 대본

토끼의 재판

「토끼의 재판」 연극을 할 때 필요한 가면을 만들 거예요. 색칠해서 가면을 완성해 보세요.

다음 그림을 보고, 낱말을 따라 쓰세요.

90~91쪽

* 정답 22쪽

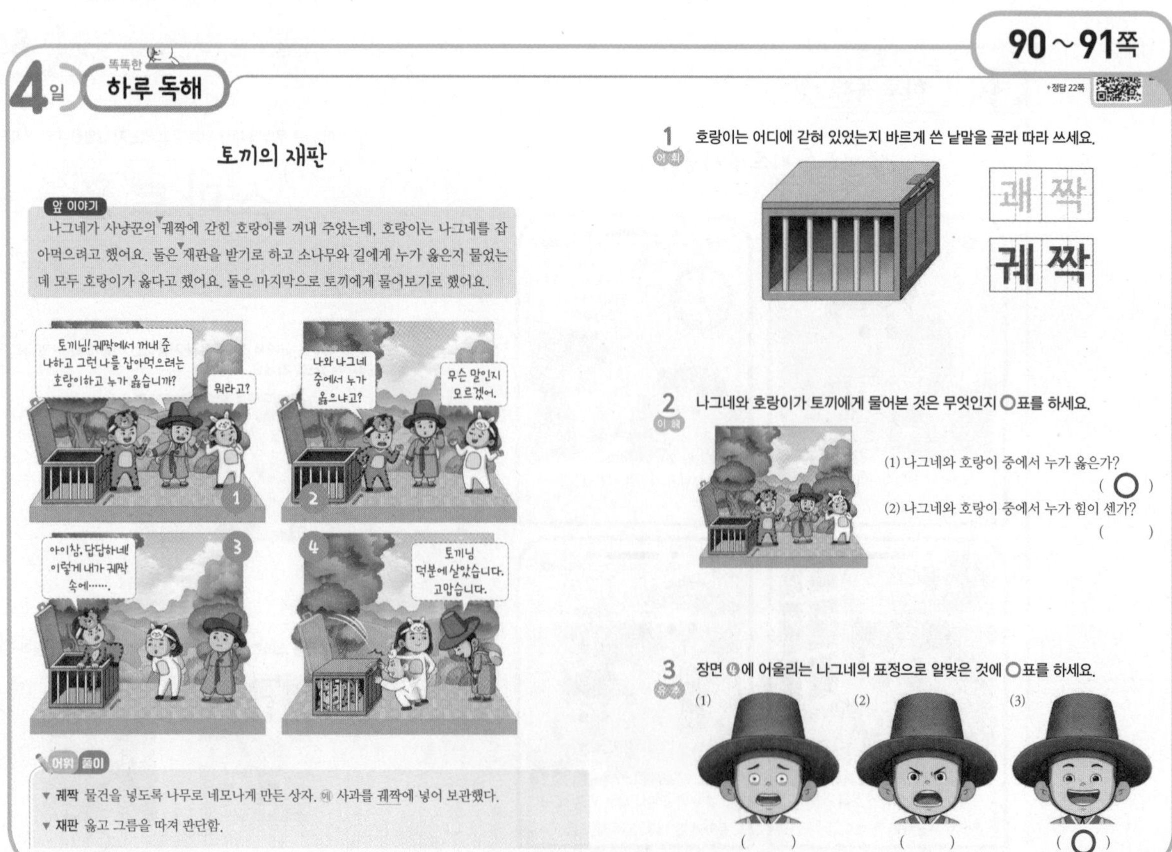

4일 똑똑한 하루 독해

토끼의 재판

앞 이야기

나그네가 사냥꾼의 궤짝에 갇힌 호랑이를 꺼내 주었는데, 호랑이는 나그네를 잡아먹으려고 했어요. 둘은 재판을 받기로 하고 소나무와 길에게 누가 옳은지 물었는데 모두 호랑이가 옳다고 했어요. 둘은 마지막으로 토끼에게 물어보기로 했어요.

어휘 풀이

▼ **궤짝** 물건을 넣도록 나무로 네모나게 만든 상자. 예 사과를 궤짝에 넣어 보관했다.

▼ **재판** 옳고 그름을 따져 판단함.

1 (어휘) 호랑이는 어디에 갇혀 있었는지 바르게 쓴 낱말을 골라 따라 쓰세요.

괘짝 / **궤짝**

2 (이해) 나그네와 호랑이가 토끼에게 물어본 것은 무엇인지 ○표를 하세요.

(1) 나그네와 호랑이 중에서 누가 옳은가? (○)

(2) 나그네와 호랑이 중에서 누가 힘이 센가? (   )

3 (유추) 장면 ④에 어울리는 나그네의 표정으로 알맞은 것에 ○표를 하세요.

(1) (   ) (2) (   ) (3) (○)

92~93쪽

*정답 23쪽

5일 광고하는 글

구름 아이스크림

똑똑한 하루 독해 미리 보기

다음 아이스크림콘 위에 아이스크림 붙임딱지를 붙여 보세요. 붙임딱지

다음 그림을 보고, 낱말을 따라 쓰세요.

94~95쪽

5일 똑똑한 하루 독해

*정답 23쪽

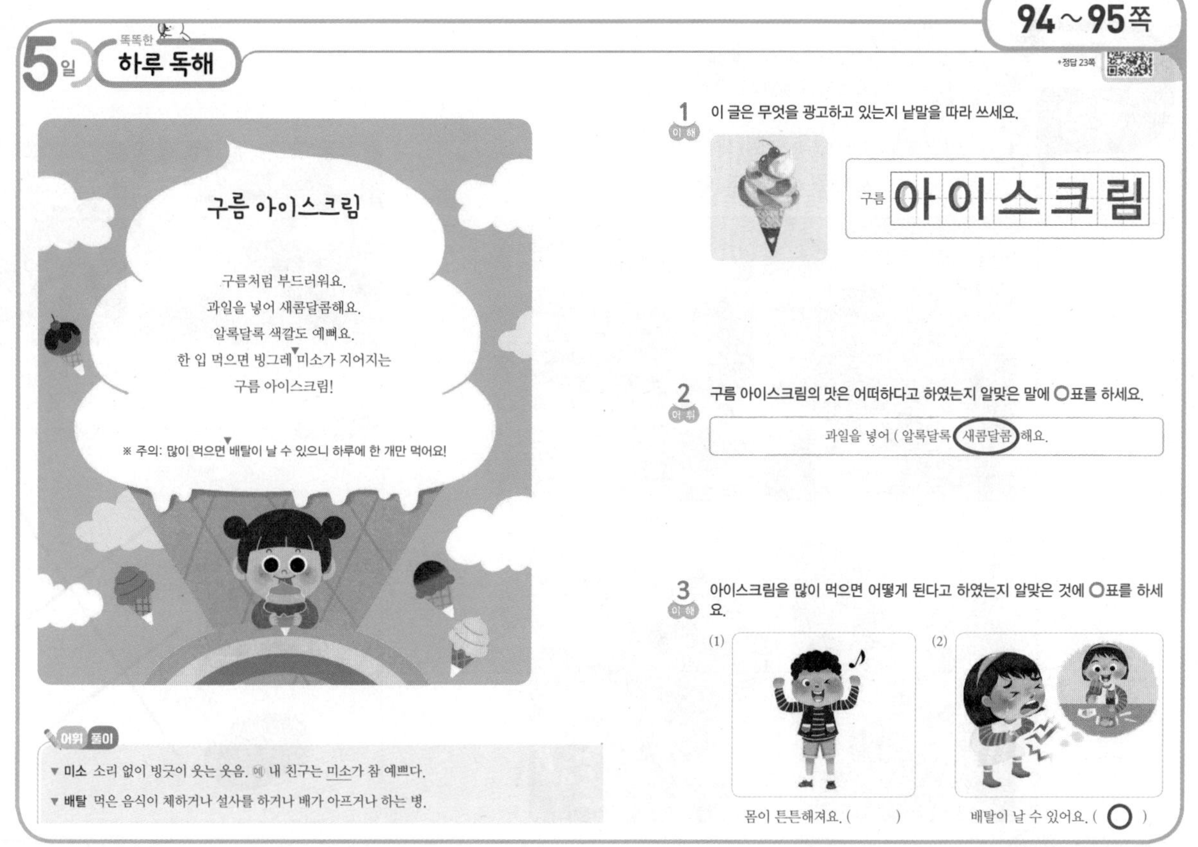

구름 아이스크림
구름처럼 부드러워요.
과일을 넣어 새콤달콤해요.
알록달록 색깔도 예뻐요.
한 입 먹으면 빙그레 미소가 지어지는
구름 아이스크림!
※ 주의: 많이 먹으면 배탈이 날 수 있으니 하루에 한 개만 먹어요!

어휘 풀이

▼ **미소** 소리 없이 빙긋이 웃는 웃음. 예 내 친구는 미소가 참 예쁘다.

▼ **배탈** 먹은 음식이 체하거나 설사를 하거나 배가 아프거나 하는 병.

1 이해 이 글은 무엇을 광고하고 있는지 낱말을 따라 쓰세요.

구름 아이스크림

2 어휘 구름 아이스크림의 맛은 어떠하다고 하였는지 알맞은 말에 ○표를 하세요.

과일을 넣어 (알록달록 , 새콤달콤) 해요.

3 이해 아이스크림을 많이 먹으면 어떻게 된다고 하였는지 알맞은 것에 ○표를 하세요.

(1) 몸이 튼튼해져요. (   )

(2) 배탈이 날 수 있어요. (○)

똑똑한 하루 독해 정답

96~97쪽

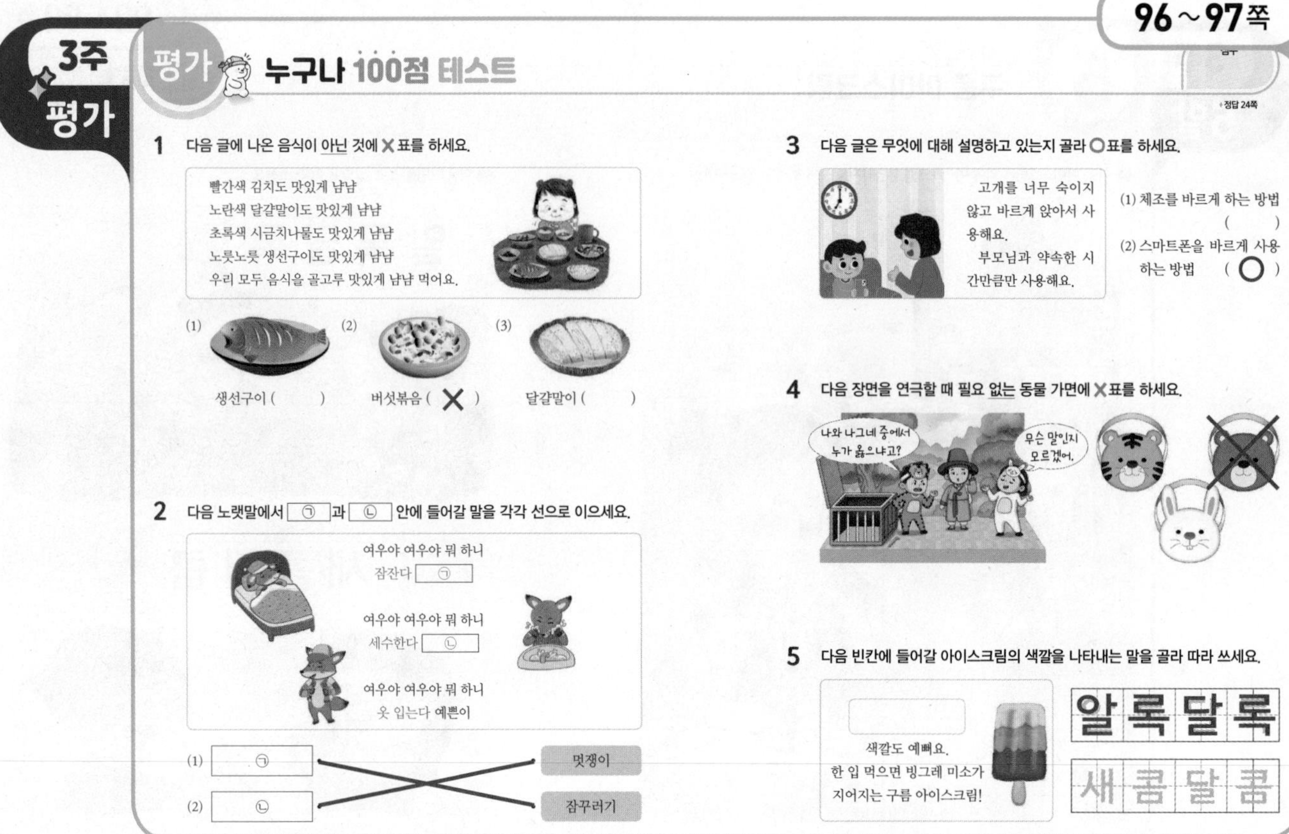

3주 평가

평가 누구나 100점 테스트

정답 24쪽

1 다음 글에 나온 음식이 아닌 것에 ✕표를 하세요.

빨간색 김치도 맛있게 냠냠
노란색 달걀말이도 맛있게 냠냠
초록색 시금치나물도 맛있게 냠냠
노릇노릇 생선구이도 맛있게 냠냠
우리 모두 음식을 골고루 맛있게 냠냠 먹어요.

(1) 생선구이 (　　) (2) 버섯볶음 (✕) (3) 달걀말이 (　　)

2 다음 노랫말에서 ㉠과 ㉡ 안에 들어갈 말을 각각 선으로 이으세요.

여우야 여우야 뭐 하니
잠잔다 ㉠
여우야 여우야 뭐 하니
세수한다 ㉡
여우야 여우야 뭐 하니
옷 입는다 예쁜이

(1) ㉠ — 잠꾸러기
(2) ㉡ — 멋쟁이

3 다음 글은 무엇에 대해 설명하고 있는지 골라 ○표를 하세요.

고개를 너무 숙이지 않고 바르게 앉아서 사용해요.
부모님과 약속한 시간만큼만 사용해요.

(1) 체조를 바르게 하는 방법 (　　)
(2) 스마트폰을 바르게 사용하는 방법 (○)

4 다음 장면을 연극할 때 필요 없는 동물 가면에 ✕표를 하세요.

(곰 가면에 ✕)

5 다음 빈칸에 들어갈 아이스크림의 색깔을 나타내는 말을 골라 따라 쓰세요.

색깔도 예뻐요.
한 입 먹으면 빙그레 미소가 지어지는 구름 아이스크림!

알록달록
새콤달콤

98~99쪽

3주 특강

3주 특강 창의·융합·코딩 ①

정답 24쪽

창의 **1** 다음 만화를 읽고, 그림에 어울리는 낱말을 찾아 선으로 이으세요.

색깔을 나타내는 낱말

어휘 퀴즈

(1) 나는 봄에 피는 개나리꽃이야. — 노란색
(2) 나는 바삭바삭 맛있는 김이야. — 검은색
(3) 나는 잘 익은 토마토야. — 빨간색

100 ~ 101쪽
3주 특강
창의·융합·코딩 2
정답 25쪽
융합
2 「골고루 맛있게 냠냠」의 내용을 떠올리며 먹고 싶은 간식을 모두 골라 색칠해 보세요.
나는 오늘 간식으로 우유, 딸기, 도넛을 먹었어. 너희들은 어떤 간식이 먹고 싶니?
우유
딸기
도넛
예
피자
샌드위치
바나나
붕어빵
체리
포도
창의
3 「여우야 여우야 뭐 하니」의 내용을 떠올리며 바르게 쓴 낱말을 따라 미로를 빠져나가 보세요.
잠꾸러기
잠구러기
멋쟁이
멋장이
반찬
반챤
개구리
게구리

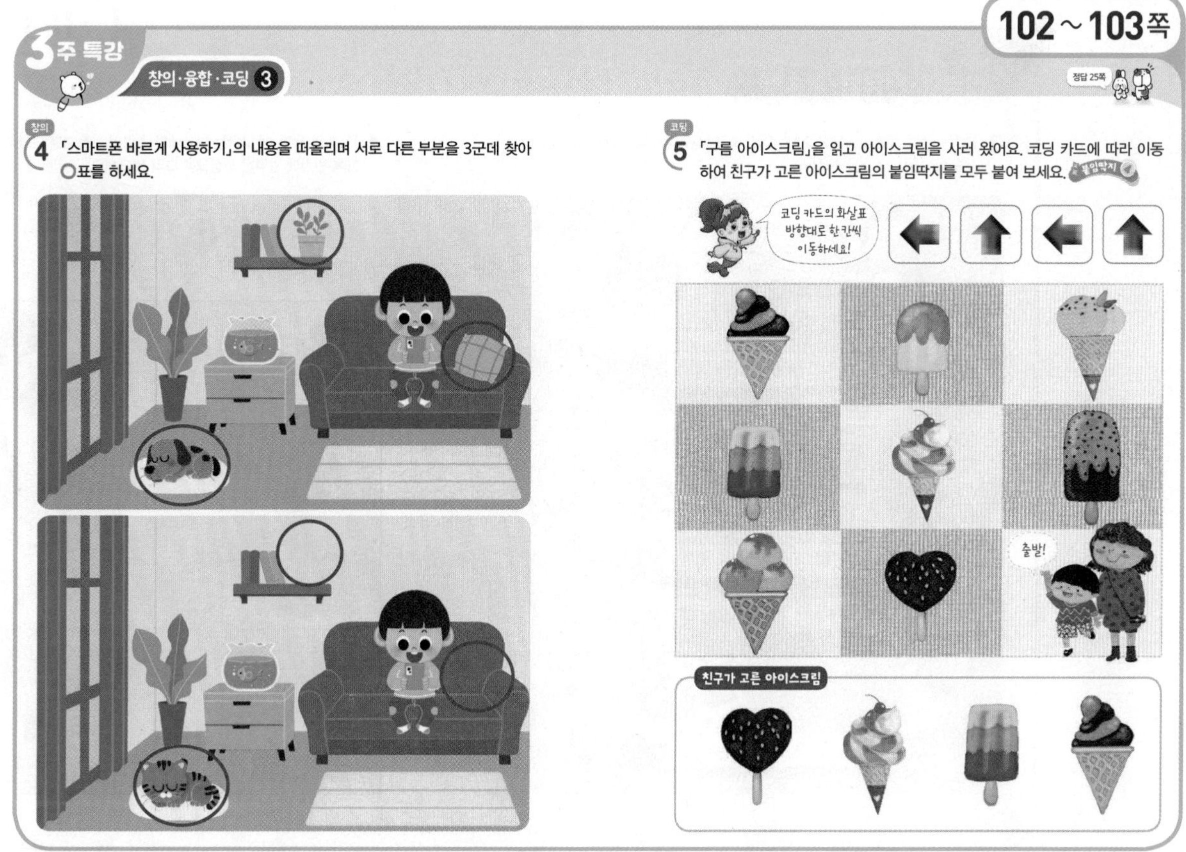
102 ~ 103쪽
3주 특강
창의·융합·코딩 3
정답 25쪽
창의
4 「스마트폰 바르게 사용하기」의 내용을 떠올리며 서로 다른 부분을 3군데 찾아 ○표를 하세요.
코딩
5 「구름 아이스크림」을 읽고 아이스크림을 사러 왔어요. 코딩 카드에 따라 이동하여 친구가 고른 아이스크림의 붙임딱지를 모두 붙여 보세요.
붙임딱지
코딩 카드의 화살표 방향대로 한 칸씩 이동하세요!
출발!
친구가 고른 아이스크림

똑똑한 하루 독해 정답

마무리 학습

신경향 신유형 서술형

106 ~ 107쪽

마무리 학습

신경향·신유형·서술형 ❶

정답 26쪽

1 앨리스가 이상한 성을 빠져나갈 수 있도록 알맞은 낱말에 ○표를 하세요.

출발!

꽃잎 (○) / 꽃닙

늑데 / 늑대 (○)

세수 (○) / 새수

도착!

2 「나는 누구일까요?」를 읽은 친구가 고양이를 답으로 하여 '나는 누구일까요?' 문제를 내려고 해요. 빈칸에 들어갈 말을 보기에서 골라 쓰세요.

나는 온몸에 털이 있어요.
나는 날카로운 발톱과 이빨이 있어요.
나는 "야옹" 소리를 내며 울어요.
나는 누구일까요?

보기
나는 높은 곳에 잘 올라가요. 나는 바다 깊이 잘 헤엄쳐요.

	나	는	∨	높	은	∨	곳	에	∨
잘	∨	올	라	가	요	.			

108 ~ 109쪽

마무리 학습

신경향·신유형·서술형 ❷

정답 26쪽

3 끝나는 말이 같은 낱말들끼리 나누려고 해요. 바구니에 각각 알맞은 붙임딱지를 붙여 보세요. 붙임딱지 4

4 「토끼의 재판」에 나오는 나그네와 호랑이가 토끼를 만나 재판을 받을 수 있도록 빈칸에 알맞은 화살표를 그려 넣으세요.

마무리 학습

기초 종합 정리 문제 1회

110~111쪽

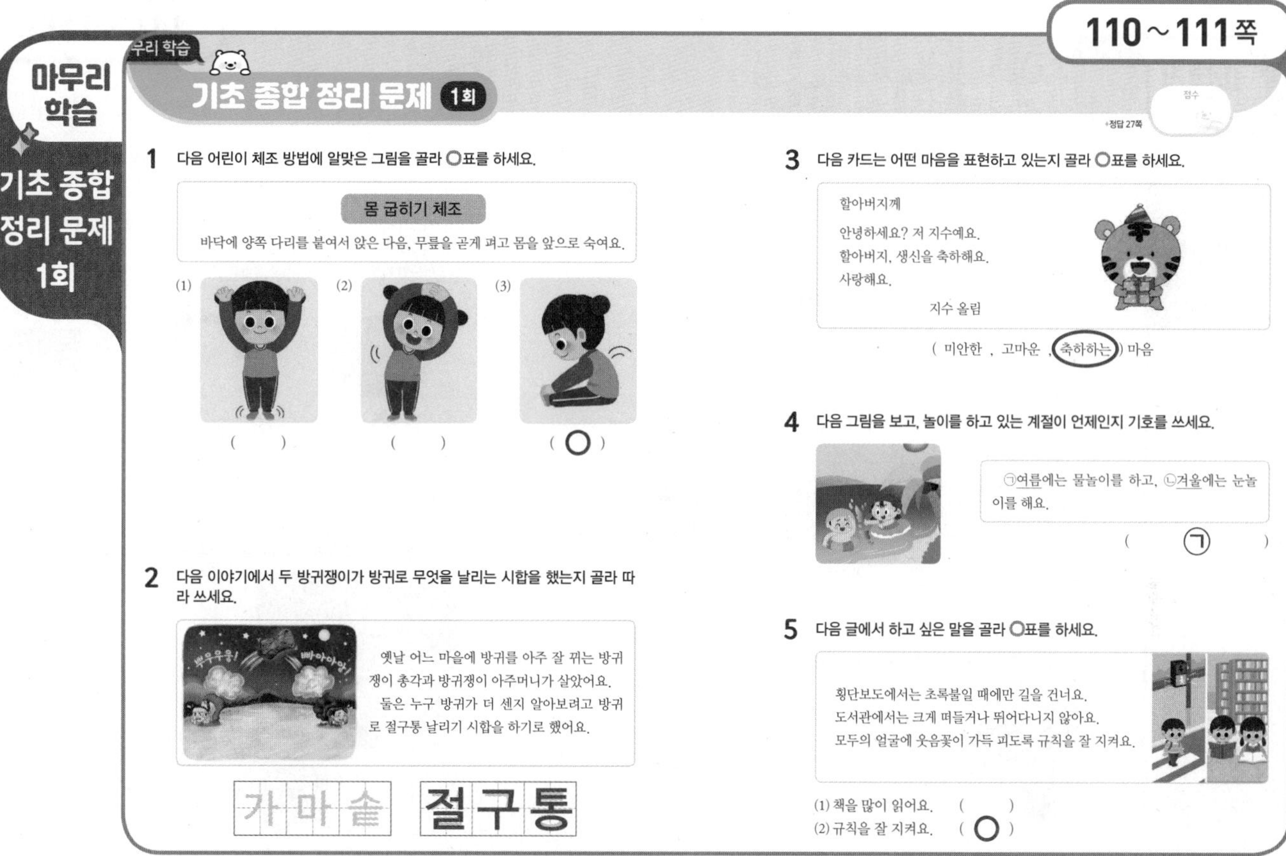

마무리 학습
기초 종합 정리 문제 1회
정답 27쪽
1 다음 어린이 체조 방법에 알맞은 그림을 골라 ○표를 하세요.
몸 굽히기 체조
바닥에 양쪽 다리를 붙여서 앉은 다음, 무릎을 곧게 펴고 몸을 앞으로 숙여요.
(1) ( ) (2) ( ) (3) (○)
2 다음 이야기에서 두 방귀쟁이가 방귀로 무엇을 날리는 시합을 했는지 골라 따라 쓰세요.
옛날 어느 마을에 방귀를 아주 잘 뀌는 방귀쟁이 총각과 방귀쟁이 아주머니가 살았어요.
둘은 누구 방귀가 더 센지 알아보려고 방귀로 절구통 날리기 시합을 하기로 했어요.
가마솥 절구통
3 다음 카드는 어떤 마음을 표현하고 있는지 골라 ○표를 하세요.
할아버지께
안녕하세요? 저 지수예요.
할아버지, 생신을 축하해요.
사랑해요.
지수 올림
(미안한 , 고마운 , 축하하는) 마음
4 다음 그림을 보고, 놀이를 하고 있는 계절이 언제인지 기호를 쓰세요.
㉠여름에는 물놀이를 하고, ㉡겨울에는 눈놀이를 해요.
(㉠)
5 다음 글에서 하고 싶은 말을 골라 ○표를 하세요.
횡단보도에서는 초록불일 때에만 길을 건너요.
도서관에서는 크게 떠들거나 뛰어다니지 않아요.
모두의 얼굴에 웃음꽃이 가득 피도록 규칙을 잘 지켜요.
(1) 책을 많이 읽어요. ( )
(2) 규칙을 잘 지켜요. (○)

112~113쪽

기초 종합 정리 문제 1회
정답 27쪽
6 다음 이야기에 누가누가 나오는지 고르세요. (②, ⑤)
❶ 배고픈 늑대는 아기 돼지 삼 형제를 잡아먹기로 했어요.
❷ 벽돌로 튼튼히 지은 셋째 돼지의 집은 늑대가 부수지 못했고 결국 늑대는 포기하고 돌아갔어요.
① 여우 ② 늑대 ③ 토끼
④ 호랑이 ⑤ 아기 돼지 삼 형제
7 다음 글에서 잘못 쓴 낱말을 골라 기호를 쓰세요.
공연 ㉠날짜와 시간: 20○○년 9월 23일 토요일 저녁 7시
공연 장소: 천재예술극장
㉡괄람 요금: 만 원
※ 3세부터 관람할 수 있습니다.
※ 인터넷으로 ㉢예약할 수 있습니다.
(㉡)
8 다음 노랫말에서 여우의 반찬은 무엇이라고 하였는지 골라 ○표를 하세요.
여우야 여우야 뭐 하니
밥 먹는다 무슨 반찬
개구리 반찬
(1) 나뭇잎 ( ) (2) 닭고기 ( ) (3) 개구리 (○)
9 다음 글을 읽고, 스마트폰을 바르게 사용한 친구의 이름을 쓰세요.
눈이 나빠질 수 있으니 어두운 곳에서 사용하면 안 돼요.
걸어 다닐 때나 밥을 먹을 때 사용하면 안 돼요.
서윤: 밝은 곳에서 스마트폰을 사용했어.
지수: 걸어 다닐 때 스마트폰을 사용했어.
수혁: 밥을 먹을 때 스마트폰을 사용했어.
(서윤)
10 다음 글에서 구름 아이스크림을 한 입 먹으면 어떻게 된다고 하였는지 골라 ○표를 하세요.
구름처럼 부드러워요.
과일을 넣어 새콤달콤해요.
알록달록 색깔도 예뻐요.
한 입 먹으면 빙그레 미소가 지어지는
구름 아이스크림!
(1) 번쩍 눈이 커져요. ( )
(2) 빙그레 미소가 지어져요. (○)

정답

114~115쪽

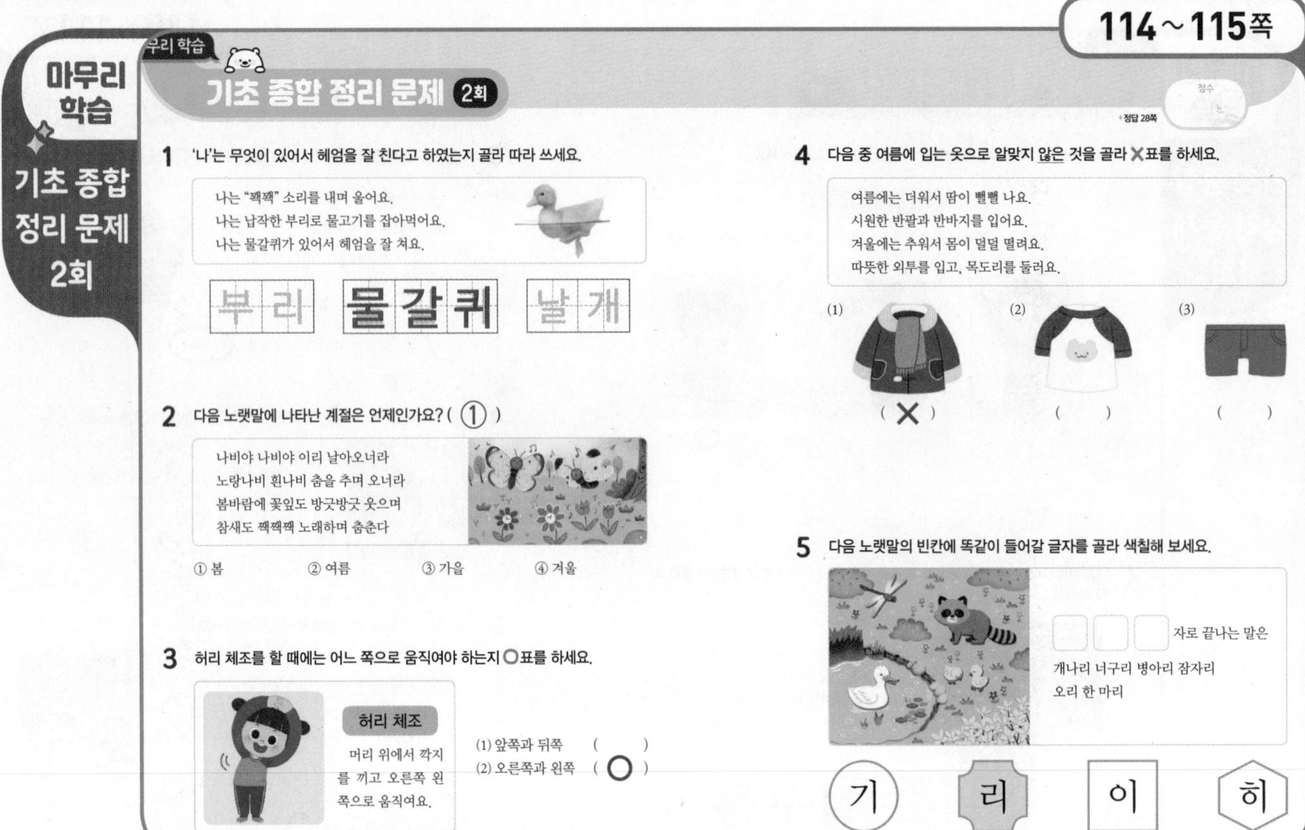
마무리 학습

기초 종합 정리 문제 2회

마무리 학습

기초 종합 정리 문제 2회

정답 28쪽

1 '나'는 무엇이 있어서 헤엄을 잘 친다고 하였는지 골라 따라 쓰세요.

나는 "꽥꽥" 소리를 내며 울어요.
나는 납작한 부리로 물고기를 잡아먹어요.
나는 물갈퀴가 있어서 헤엄을 잘 쳐요.

부리 물갈퀴 날개

2 다음 노랫말에 나타난 계절은 언제인가요? (①)

나비야 나비야 이리 날아오너라
노랑나비 흰나비 춤을 추며 오너라
봄바람에 꽃잎도 방긋방긋 웃으며
참새도 짹짹짹 노래하며 춤춘다

① 봄 ② 여름 ③ 가을 ④ 겨울

3 허리 체조를 할 때에는 어느 쪽으로 움직여야 하는지 ○표를 하세요.

허리 체조
머리 위에서 깍지를 끼고 오른쪽 왼쪽으로 움직여요.

(1) 앞쪽과 뒤쪽 ( )
(2) 오른쪽과 왼쪽 (○)

4 다음 중 여름에 입는 옷으로 알맞지 않은 것을 골라 ×표를 하세요.

여름에는 더워서 땀이 뻘뻘 나요.
시원한 반팔과 반바지를 입어요.
겨울에는 추워서 몸이 덜덜 떨려요.
따뜻한 외투를 입고, 목도리를 둘러요.

(1) (×) (2) ( ) (3) ( )

5 다음 노랫말의 빈칸에 똑같이 들어갈 글자를 골라 색칠해 보세요.

□□□ 자로 끝나는 말은
개나리 너구리 병아리 잠자리
오리 한 마리

기 리 이 히

116~117쪽

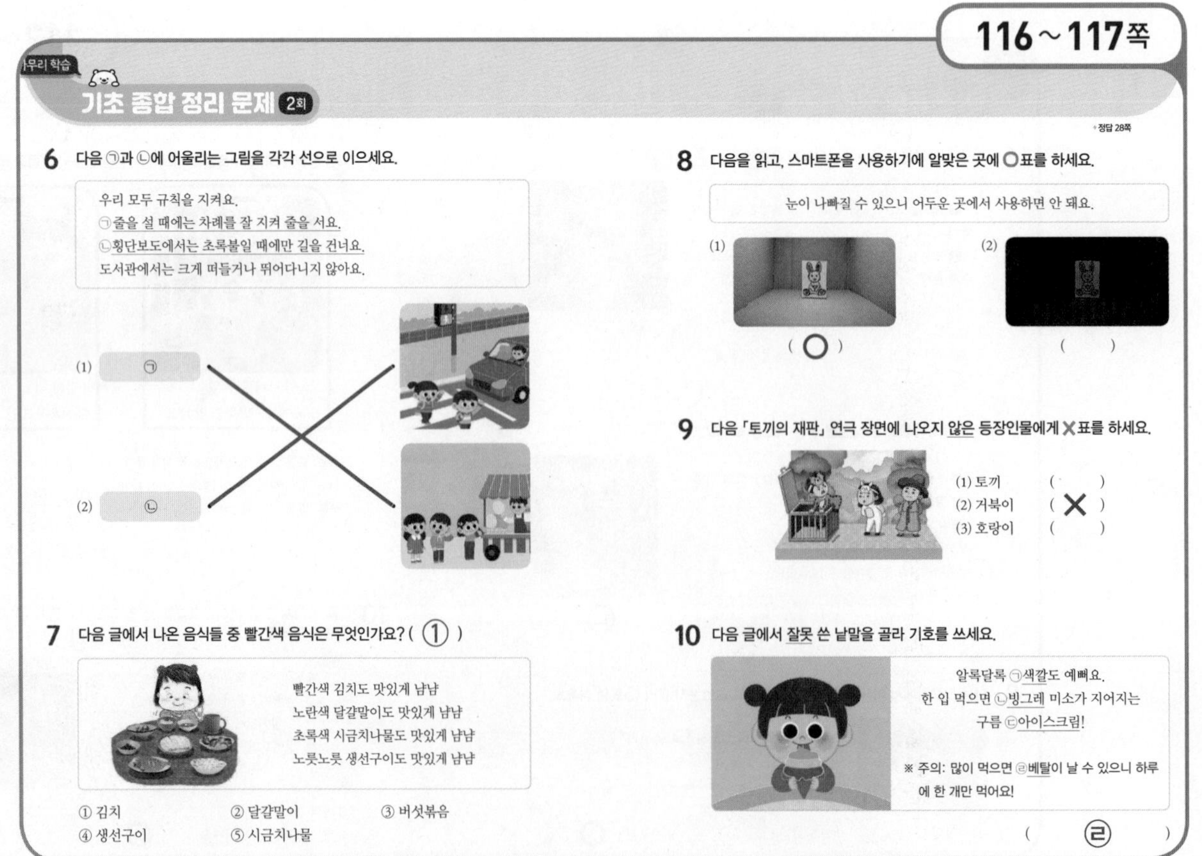
마무리 학습

기초 종합 정리 문제 2회

정답 28쪽

6 다음 ㉠과 ㉡에 어울리는 그림을 각각 선으로 이으세요.

우리 모두 규칙을 지켜요.
㉠줄을 설 때에는 차례를 잘 지켜 줄을 서요.
㉡횡단보도에서는 초록불일 때에만 길을 건너요.
도서관에서는 크게 떠들거나 뛰어다니지 않아요.

(1) ㉠
(2) ㉡

7 다음 글에서 나온 음식들 중 빨간색 음식은 무엇인가요? (①)

빨간색 김치도 맛있게 냠냠
노란색 달걀말이도 맛있게 냠냠
초록색 시금치나물도 맛있게 냠냠
노릇노릇 생선구이도 맛있게 냠냠

① 김치 ② 달걀말이 ③ 버섯볶음
④ 생선구이 ⑤ 시금치나물

8 다음을 읽고, 스마트폰을 사용하기에 알맞은 곳에 ○표를 하세요.

눈이 나빠질 수 있으니 어두운 곳에서 사용하면 안 돼요.

(1) (○) (2) ( )

9 다음 「토끼의 재판」 연극 장면에 나오지 않은 등장인물에게 ×표를 하세요.

(1) 토끼 ( )
(2) 거북이 (×)
(3) 호랑이 ( )

10 다음 글에서 잘못 쓴 낱말을 골라 기호를 쓰세요.

알록달록 ㉠색깔도 예뻐요.
한 입 먹으면 ㉡빙그레 미소가 지어지는
구름 ㉢아이스크림!

※ 주의: 많이 먹으면 ㉣베탈이 날 수 있으니 하루에 한 개만 먹어요!

(㉣)

정답은
이 안에
있어!